ニホンという滅び行く国に生まれた若い君たちへ

秋嶋 亮

17歳から始める反抗するための社会学

アウトブレイク

OUTBREAK

執筆を支えてくれた真利奈に本書を捧ぐ。

まえがき

「ニホンという滅び行く国に生まれた若い君たちへ」のシリーズ第一作目を上梓したのは4年前のことだが、このタイトルが俄然現実味を帯びてきたこの頃ではないだろうか。

自由貿易による主権の廃絶、経済特区による都市の租界化、派遣制度による勤労者の奴隷化、市場原理主義《グローバリズム》による福祉・医療の解体、原発事故による被害の拡大など、今や破滅要因《エレメント》が重層化し、この国は崩壊の途上にあるのだ。

シリーズ第三作目となる本書は、コロナ禍がこれらの実態を不明

にせしむ虚　構《シミュラークル》であり、支配の加速器《アクセラレータ》であるという仮説に基づき、脱構築（世界観の解体と再編）を試みたものである。

現実として私たちの国ではコロナ禍を機に民主制が解体され、公益を名目とする国民監視体制が築かれ、衛生至上主義というファシズムが台頭しつつあるのだ。

題名に添えたアウトブレイク《OUTBREAK》とは「勃発する」という意味だが、これはパンデミックの発生とともに、我々の生存を脅かす事件の噴出を示唆しており、時代の凶兆を告げるシンボリックな言葉だと捉えて頂きたい。

このような認知閾（問題が複雑化し理解を超えた社会状況）の分析は、諸学を縦横無尽に行き交う社会学だけが可能であり、それがまさに本書のレゾンデートル《存在価値》なのである。しかしこのような実証的な論考は常識や信念を尽《ことごと》く覆すことから猛反発を食らうのではないかと思う。

例えばこの国の政治が与党と野党の共謀によって成るという主張はその最たるものだろう。しかし本書を執筆する最中にも与野党の連携《コラボ》によって国民投票法改正案が成立し、70余年にわたり護持されてきた平和憲法が解体の危機に直面しており、図らずも現実が拙論を裏付けているのだ。

また「国債は国民の資産である」という誤謬《トンデモ》についても厳しく反証しているが、ＭＭＴ《現代貨幣理論》を始めとするこの種の疑似財政論が流行る背景には、ＳＮＳをプラットフォームとする新たな蒙昧主義《オブスキュランティズム》があるのではないかと思う。やはり氾濫するガジェット《ＩＴ機器》は知的進化ではなく理性の腐食をもたらしているのだ。

　つまるところ我々が警戒すべきものは、外部の敵よりむしろミーム《思考感染》化した単純な論理であり、複雑な思考を忌避する反主知的な衝動であり、パラダイム《仲間同士の認識》の内部で語られる妄想であり、己の世界観と整合性を保つために知性を放棄する欲求なのである。

　だからこそ本書は読者に安心を与えるどころか、足元が液状化するような戦慄を掻き立てるのだが、かくも予定調和を裏切る態度は、思慮を欠いた言説が主流化する社会への挑発であると同時に、作家が出血しない時代への挑戦だと宣明しておく。

　人は誰しも否定の荒地を走破しなければ生の肯定者にはなれないのだ。

なお、今回も前の二作と同じく、簡潔に事実を綴り、それを一つの語彙に示すという構成であるが、これがまさに現象の名辞化、すなわち概念を言葉で吐出する哲学の作業なのである。

かくして本書に記した２０１の語彙《コトバ》たちは、思考を拡張する道具であり、暗黒を照らす光束であり、反抗するための武器であり、人間解放のフィリア《助力》であることを強く記し序文《まえがき》を閉じたい。

秋嶋　亮

目次

まえがき……5

第1章 虚構《コロナ》が世界を解体する

1 そう認識するよう仕向けられている……26
2 極限状態は理性を拒む……27
3 あきれるほど単純なトリック……28
4 この疑惑は払拭できない……29
5 思考を禁止する社会の到来……30
6 あらゆる仮説を否定しないこと……31
7 コロナで調教される国民……32
8 奴隷精神を注入するスローガン……33
9 洗脳の言葉をシャワーのように浴びている……34
10 国民を分断し結束させない統治……35
11 全体主義の徴候が濃厚に漂う……36
12 権力に服従することが美徳の時代……37
13 巨大な虚構が世界を覆い尽くす……38
14 イメージに幻惑され現実感覚を失った……39
15 産業革命前夜の悪夢が再び蘇る……40

16 現実を認識する程度の知性すらない……41
17 ニホンは巨大な「愚者の船」……42
18 学知によって全てを予測できた……43
19 パンデミックは巨大な利潤機会をもたらす……44
20 コロナに熱狂する投資家たち……45
21 同心円形式のリスクという意味……46
22 権力の道具としてのツイッター……47
23 私たちは二重の犠牲を強いられる……48
24 国民の安全よりも企業の利益……49
25 政治家とマスコミの醜悪なコラボ……50
26 あまりにも杜撰な数字が物語ること……51
27 現代の「死による支配」……52
28 投資家はコロナの流行を知っていたのか……53
29 国境を越えて作用する権力……54
30 民意ではなくマネーが政治を動かす……55
31 コロナ禍が人権を停止させる……56
32 建前は自由だが事実上の強制……57
33 人工知能が治安を維持する日……58
34 支配層が下す非公式な制裁……59
35 思想を管理する機関の出現……60

36 緊急事態宣言が国民の脳に形成したもの……61
37 民主主義が恐怖政治を生む……62
38 大衆は権力に服従したい……63
39 国民に上下関係を叩き込むための取り組み……64
40 コロナという論理爆弾……65
41 法律の真空状態でファシズムが生じる原理……66
42 歴史に学ばなければ同じ轍を踏む……67
43 論理よりも感情、事実よりもイメージ……68
44 国民の代表でない者たちが国民を支配する……69
45 非常時ではカルトが主権者になる……70
46 民主主義はファシズムに回収されるという定理……71
47 生命・財産・自由を独断で処分する体制の復活……72
48 暗黒が感染症のように世界に広がる……73
49 ファシズムが復古する時代に生まれた君たち……74
50 ナチスの亡霊が日本で徘徊する……75
51 独裁と弾圧の治安国家……76

第2章 それでも「政治が在る」と信じるのか

52 主権がないのに主権があるように振る舞う……78
53 政権が代われば政治が変わるという妄想……79
54 ニホンの民主主義は脳の中にしかない……80
55 分かりやすい言葉で言えばカツアゲ……81
56 国策捜査とマスコミが愛国者を葬る……82
57 70年以上にわたり自由を撲滅してきた……83
58 戦後から引き継がれる巨大な妄想……84
59 法律を拡張解釈すれば国民を弾圧できる……85
60 それは戦争国家のスローガンだった……86
61 債権者は銀行、債務者は国民という原則……87
62 奴隷は奴隷制の仕組みを知らない……88
63 重大な問題を議論させない権力……89
64 人間を使い捨てにすれば国が滅びる……90
65 国民の救済も経済の発展も目指さない政府……91
66 ニホンは自由の国ではない……92
67 危険な法案の成立を見逃す野党……93
68 与党のアシストが野党の仕事……94
69 なぜ与野党の共犯関係を認められないのか……95
70 一つの支配があるだけで政党の対立はない……96
71 政治は与野党の談合によって成る……97

72 野党とは看板を変えた与党の別名……98
73 国会の立法機能が外国の資本に侵食される……99
74 常識や信念に囚われると現実を直視できない……100
75 学究によって幻想を粉砕すること……101
76 私たちが明視すべき絶望……102
77 ニホンの混乱状態で利益を得る者たち……103
78 中小企業を潰せば経済が発展するという狂論……104
79 倒産と、廃業と、失業と、自殺の山を築く……105
80 戦時の昭和に酷似したファシズム……106
81 国民が知らない緊急事態条項の恐怖……107
82 憲法を停止させ例外状態を作る……108

第3章 この災禍から目を逸らしてはならない

83 メディアが理性を腐食させる……110
84 この悲劇は子々孫々まで続く……111
85 暴力ではなく記憶による統治……112
86 原発事故より人間の幼稚さが恐ろしい……113
87 政府もマスコミも国民は馬鹿だと思っている……114

88 コロナ禍よりも桁違いの問題であること……115
89 地球的なカタストロフをひた隠しにするニホンの学者たち……116
90 いかにして認識は歪められるか……117
91 とにかく言い負かせば勝ちという時代……118
92 子ども並みの理性すら失ったのか……119
93 これほど酷い状況でも思考しない……120
94 政治文書も行政資料も黒塗りにする国……121
95 ド級の惨事に平静でいられる理由……122
96 学者も知識人も反抗しない……123
97 ニホンの科学は死滅した……124
98 文化も人間も腐り果てている……125
99 妄想の共有によって成る社会……126
100 迷信と非科学の排除という問題……127
101 なぜ国連を信用してはならないのか……128
102 人権を唱える国が人権を抹殺する……129
103 社会の最底辺に置き去りにされる人々……130
104 難民と棄民で溢れかえる国……131
105 メッセージの裏に隠された真意を解読する……132
106 収束していない惨事を収束したと錯覚させるイベント……133
107 テレビが国民を教化する……134

108 意識を規格化するメディアの鋳型……135
109 真実でないものが真実化する次元……136
110 マスコミが国民の脳に刷り込むもの……137
111 テレビ報道と国民意識の危険すぎる共鳴……138
112 それはナチスが考案したイベントだった……139
113 毎年2つ以上の国が消滅している……140

第4章 メディアが創る仮想現実の檻の中で

114 政治とメディアの巨大な煙幕……142
115 全てを疑うことが知性の要件……143
116 マスコミが全体主義の道具であること……144
117 恐怖を煽り人心を惑わせるビジネス……145
118 大衆社会とは家畜社会である……146
119 テレビを視るほど知能が衰える……147
120 無知性だから無抵抗なのだ……148
121 事実は報道されない片面にある……149
122 考えないことが美徳である社会……150
123 存在しない好景気を信じ込まされていた……151

124 事実を報道するのではなく、報道したことが事実となる …… 152
125 国民はいかなる虚言にも従う …… 153
126 文化に擬態する権力 …… 154
127 思考力を麻痺させ抵抗力を奪うもの …… 155
128 危機意識を鈍麻させるマスメディア …… 156
129 税金で雇われた者たちが世論を工作する …… 157
130 ウェブは悪意の戦場と化した …… 158
131 経済が後退するとヘイトが流行る理由 …… 159
132 ネット住民は口を塞がれるのか …… 160
133 ＳＮＳの自由言論が生贄《いけにえ》になる …… 161
134 ツイッター発の言論統制 …… 162
135 政府を批判すれば罰せられる時代 …… 163
136 権力は全てのメディアを検閲したい …… 164
137 戦争国家への回帰を目指す財界人たち …… 165
138 外国の資本に所有されるニホンのテレビ局 …… 166
139 支配されていることを自覚させない支配 …… 167

第5章 残酷な世界の現実から見える私たちの未来

140 有権者が選挙に参加できない仕組み …… 170
141 選挙制度はあるが民主制度はない …… 171
142 「お前たちが選んだのだから文句を言うな」という論理 …… 172
143 都民の多くが貧困に転落する …… 173
144 どちらに転んでも外資が儲かる両建構造 …… 174
145 住民を犠牲にすることで企業の利益が増える …… 175
146 大阪の特区化とは大阪のブラック特区化 …… 176
147 ニホンはニホン人の国ではない …… 177
148 傀儡である私たちの政府が仕えるもの …… 178
149 国を売れば莫大な報酬が得られる …… 179
150 条約が憲法の上に置かれた …… 180
151 ニホンの全土が搾取工場になる …… 181
152 「公正な世界ルール」で全てを奪い尽くす …… 182
153 この先の未来に復興はない …… 183
154 企業家と投資家のための政府 …… 184
155 世界で最も服従的で無思考な民族 …… 185

156 残酷と搾取が世界の実相 …… 186
157 国民の精神が死んでいるから支配は容易い …… 187
158 世界で最も衆愚政策が成功した国であること …… 188
159 保守や右翼がニホンを売る …… 189
160 「国家の伝統」というデッチ上げ …… 190
161 悪人の暴力より善人の無知が怖い …… 191
162 没落した国を賛美すればおカネが貰える …… 192
163 派遣の問題を永久に解決できない理由 …… 193
164 企業に監督される国家 …… 194
165 他人の不幸はやがて自分の不幸になる …… 195
166 グローバリズムという危機の連鎖 …… 196
167 自由貿易とは失業の輸出である …… 197
168 国民の所得を削り投資家の配当に付け替えた …… 198
169 外国人が法案を買える国 …… 199
170 人間としての生の終焉 …… 200
171 暴論の背景にあるものを考える …… 201
172 ニホン国民ではなくアメリカの資本に忠誠を尽くす …… 202
173 なぜ弱者を虐待し外資を優遇するのか …… 203
174 世界のゴミ捨て場化するニホン …… 204
175 短命社会が確実に到来する …… 205

176 世界はニホンを「国」と認めていない …… 206
177 安全も風景も伝統も消滅する …… 207
178 あらゆる価値がマネーに交換される …… 208
179 人間の尊厳も生命の倫理もない世紀 …… 209
180 政治家は資本の下僕である …… 210
181 自由貿易によって医療難民が生じるメカニズム …… 211
182 外資がニホンの薬価を1000倍に引き上げた …… 212
183 一番大事なものが食い物にされる …… 213
184 アメリカによる恐怖の制度の移植 …… 214
185 グローバル資本は国家を解体する …… 215
186 年金は株式市場を通じて消えた …… 216
187 誰も金融緩和の意味を分かっていない …… 217
188 君が生まれながらの奴隷であること …… 218
189 歴史に類例のない搾取が行われようとしている …… 219
190 ネットの寸言を真理として語っていないか …… 220
191 選挙に投資した企業が政治を支配する …… 221
192 世界の本質は奴隷制である …… 222
193 金融の道具としての国家 …… 223
194 政府は象徴であり資本の下請けに過ぎない …… 224
195 グローバル化の終章としての監視社会 …… 225

196 世界はファシズムで結ばれる …… 226
197 人権もプライバシーもない未来 …… 227
198 収容所的な監視国家の登場 …… 228
199 誰も監視の網から逃れられない …… 229
200 「日本人は豚になる」という予言 …… 230
201 搾取と昏蒙《こんもう》の果てに …… 231
参考文献 …… 233

第1章

虚構《コロナ》が世界を解体する

1――そう認識するよう仕向けられている

日本のコロナ死亡者は（2021年3月時点で）約9000人ですが、その内の95％は60歳以上の高齢者なのです。それですら陽性であると診断されただけで、死因がコロナによる直接的なものであるかは定かではありません。つまり「致死的なウイルスが大流行している」という報道は著しく信憑性を欠いているのです。このような偏向報道によって企図した通り物事を認識させることを「印象形成」と言います。

2——極限状態は理性を拒む

例年の統計を見れば、インフルエンザによる死亡者は1万人、肺炎による死亡者は10万人、がんによる死亡者は38万人で推移しています。またＷＨＯ《世界保健機関》の基準に照らせば、日本の自殺者は年間15万人と推計されます。だからコロナだけを取り上げて騒ぎ立てることは、どう考えても異常なのです。このようにストレスや恐怖による視野狭窄から周辺の重大な問題が見過ごされることを「凶器注目効果」と言います。

3——あきれるほど単純なトリック

新聞社はコロナの感染爆発を大々的に報じていました。しかしそれはPCR検査数を（2020年の5月頃と比較すれば一挙に4倍に）引き上げたからだったのです。つまり標本の分母が増えた分だけ感染者数が増えていただけなのです。種を明かしてみれば全く単純なトリックなのですが、国民は煽情的な報道《ニュース》によってパニックに陥ったのです。このように読者を或る方向に誘導するために大げさに書き立てる記事を「切迫記事」と言います。

4——この疑惑は払拭できない

奇妙なことにインフルエンザの感染者数が減少した分だけコロナの感染者数が増加しています。また2020年の国会では、コロナと診断した医療機関に約2億円の奨励金を支払うことが決定していま す。そしてコロナの診療報酬は一般の感染症の3倍にまで引き上げられ、さらに自治体が助成金をこれに上乗せする仕組みが出来ているのです。だから「コロナの感染者数は水増しされているのではないか」という疑惑が生じるのです。このように二つ以上の情報や事実から仮説を立てることを「間接推理」と言います。

5——思考を禁止する社会の到来

そもそもコロナウイルスは花粉粒子の300分の1程度の大きさしかなく、市販のマスクで実験したところ90%位の確率で繊維を通過することが確認されています。こうした実証的な見地に立てば、大都市のピアセンター《感染の中心となる場所》は、飲食店などではなく、1日当たり300万人以上が超過密状態で搬送される通勤電車なのです。このような論理的な知見を排除する立場を「非理知主義」と言います。

6——あらゆる仮説を否定しないこと

一連のコロナ禍が人工的なウイルスによるものだと主張する人々がいます。しかし、あらゆる可能性を否定しないことが科学的な態度なのです。だから私たちは常に断定を避け、異なる仮説に対しアタマを開いていなければならないのです。このように人間は常に認識や判断を誤るのだから、それを前提としてやわらかに思考すべきだとする態度を「可謬《かびゅう》主義」と言います。

7――コロナで調教される国民

「距離を取りましょう！」、「マスクをしましょう！」、「咳をする時は口に手を当てましょう！」などというアナウンスが至るところで絶叫されています。しかし中国共産党占領下のチベットでも、規律を強制するスローガンが街中に流され、住民の思想改造の道具として用いられていたことからすれば、これは由々しき事態なのです。

このように被支配民衆を従順な群れに刷新するための取り組みを「ニュー・パブリック・マネジメント」と言います。

8――奴隷精神を注入するスローガン

「三密を避けよう！」という標語《スローガン》が浸透しています。しかしこれはマナーを喚起しているのではなく、「反政府集会や抗議デモなどを開催するのはもってのほかだ」と潜在意識に規範を叩き込んでいるのです。だとすれば国民は無自覚にそれに従い、民主的な権利の消失を見過ごしているのです。このように或る発話の裏に仕組まれた政治的な企図や真意を「メタメッセージ」と言います。

9——洗脳の言葉をシャワーのように浴びている

注意深く観察してみれば、コロナ禍に関わる発話《エノンセ》の大半が支配的な言語なのです。つまり私たちはＳＦ映画『ゼイリブ』さながらに、「権威に逆らうな」、「考えるな」、「いつも眠っていろ」、「従え」、「テレビを視ろ」といった潜在意識に作用するメッセージをシャワーのように浴び続けているのです。このような洗脳によって国民が自ら服従するように仕向ける諸力を「規律権力」と言います。

10——国民を分断し結束させない統治

コロナ禍によって国民は分断されました。つまりコミュニケーション《広義な意味での接触》の自粛によって、人間の紐帯《ちゅうたい》が解かれてしまったのです。換言するならば、家庭という社会の最小《ミクロ》の単位、職場・学校・地域という中間《メゾ》の単位、そして国家という最大《マクロ》の単位がコロナという物語《ナラティブ》によってバラバラにされたのです。このように国民を原子のように切り離し結束させないことによって統治することを「制度的個人主義」と言います。

11——全体主義の徴候が濃厚に漂う

「三密の禁止」などのキャッチ《標語》とともにデモや集会が規制され、フェイスブックやツイッターを始めとするＳＮＳがコロナ関連の情報を検閲しています。しかしそれよりも恐ろしいことは、国民が自ら進んで政府に従い、互いに監視し、同調しない者を排斥したり密告する態度が蔓延していることなのです。このような同調圧力によって自発的に権利を放棄することを「自粛の全体主義」と言います。

12——権力に服従することが美徳の時代

為政者はコロナ禍という物語《ナラティブ》で従順な国民を作っているのです。換言するならば「コロナ禍を克服するためには、あらゆる不自由に耐え、国家に服従しなければならない」という文脈《コンテクスト》で教化しているのです。そして国民はそれを無自覚に受け入れつつあるのです。このような政治的な説得による国民の意識や行動の変化を「態度変容」と言います。

13——巨大な虚構が世界を覆い尽くす

コロナ禍とは世界空間を覆う巨大なシミュラークル《再生産される虚構》なのかもしれません。あるいは各国の支配層とその関係者《ステークホルダー》たちが途方もない利益を得るためのページェント《野外劇》なのかもしれません。だとすれば、それは「非現実を現実化する諸力」としての権力の顕《あらわ》れなのです。このように支配的な見方を疑い論理的に仮説を立てようとする態度を「科学的懐疑主義」と言います。

14——イメージに幻惑され現実感覚を失った

私たちの社会は「疑似環境」と言っても過言ではありません。「疑似環境」とは客観的な事実と科学的な態度によって成る「真の環境」の反義語であり、迷信や疑似科学などから成る体系を意味します。だとすれば、私たちは「超致死的なウイルスが大流行している」というイメージに幻惑され現実感覚を失っているのです。このような歪んだ共有観念を形成するテレビ局や新聞社などの機関を「大衆統合装置」と言います。

15——産業革命前夜の悪夢が再び蘇る

国の自粛要請によって多くの飲食店や、小売店や、旅館や、ホテルなどが倒産しました。しかしそれらは消失するのではなく、やがて新たな資本関係の下で再編されるのです。つまり大手チェーンに看板が付け替えられ系列化するのです。このような防疫を名目とする強制力によって資産の放出を迫る行為を「新しい囲い込み」と言います。

16——現実を認識する程度の知性すらない

国民はコロナが一番重要な問題だと錯覚し、政治や経済について考えなくなりました。そしてさらに（コロナなどの分かりやすい報道が好まれ、金融や外交など分かりにくい報道は敬遠される）ソフト・ニュース化が蔓延し、国民は社会問題について議論するどころか、今や現実を認識する程度の知性すら持ち得ないのです。このように人間の意識に強烈な作用を及ぼすマスメディアの諸力を「第三次元の権力」と言います。

17――ニホンは巨大な「愚者の船」

大多数の人々はコロナが、種苗法改正や、改憲や、5Gや、国民監視や、汚染水放出などの問題を隠蔽する煙幕であることを理解していません。そしてその結果、「コロナは政治や経済の道具にされている」と訴える人々が異常者扱いされるという不条理が生じているのです。このように書物的教養のある者と新聞テレビ的教養しかない者との間で生じる認識のずれを「涵養《かんよう》的差異」と言います。

18——学知によって全てを予測できた

筆者は「来年《2020》にはテロのような大事件が起こり、その混乱に乗じてグローバリズム《多国籍企業支配》が一挙に推進される」と著しました。そしてその予測通り、世界的なウイルス禍が勃発し、民衆がパニックに陥った隙を突いて危険な法案が可決され、主権をばら売りする条約が次々と締結されたのです。このように諸法則や権力関係から社会を分析し予測する立場を「構築主義」と言います。

19——パンデミックは巨大な利潤機会をもたらす

スイス最大の銀行UBSによると、「富裕層全体の富のおよそ98%を占める2000人」の資産は、コロナ禍から半年足らずの間に25%も増加し1000兆円を突破しました。アメリカでも富裕層の資産はこの騒動から僅か1年で60%も膨張しています。つまり彼らの富はコロナ恐慌による倒産や廃業で放出された土地や家屋や店舗や株式などを格安で入手する「資産移転」の果実なのです。このように疫病禍《コロナ》に乗じて莫大な利益を得る者たちを「パンデミック・プロフィティアーズ」と言います。

20—コロナに熱狂する投資家たち

投資信託が年間１％程度の配当で上出来とされることからすれば、コロナ禍のポートフォリオ《抱き合わせ資産運用》がどれほど桁違いの富を生んでいるか理解できるでしょう。これは91年のソ連邦崩壊や、97年のアジア通貨危機以来となる超絶の投資機会であり、やはり地球的なパンデミック《大疫病》は支配階級にとてつもない利潤をもたらしているのです。このように豊かな者はさらに豊かになり栄える仕組みを「リッチ・ゲット・リッチャー・メカニズム」と言います。

21――同心円形式のリスクという意味

社会学者のベックは「一般市民にとってリスクはリスクに過ぎないが、特権層にとっては膨大な利潤をもたらす機会であり、リスクが拡大するにつれ、リスクから損害を被る者と利潤を得る者との対立が激化する」と主張しました。そして彼の見立て通り、コロナ禍に翻弄《ほんろう》される世界は、コロナ禍によって莫大な富を得る特権層と、コロナ禍によって財産を失う市民層に二分されつつあるのです。このように今世紀は人類が同心円形式のリスクに曝される時代であるという所見を「リスク社会論」と言います。

22——権力の道具としてのツイッター

ツイッター社はコロナワクチンに関わる不適切な発信を削除すると宣言しました。しかし在日韓国人などに対する過激なセグリゲー《人種差別的な》ション《言説》は依然野放しであり、どう考えても規制《ルール》の基準が妥当性を欠いているのです。要するにこれはデマ防止や公序良俗のためではなく、政府に不都合なツイートを抹消することが狙いなのです。このように検閲と情報の遮断によって統治する営みを「統制社会」と言います。

23——私たちは二重の犠牲を強いられる

コロナワクチンは、あくまで緊急用であり、安全が絶対に保証されたものではありません。現に製薬会社は、副反応が生じても責任を負わないことを条件に供給しているのです。だから健康被害が出た際には、国が賠償の肩代わりをするのです。しかしその原資となるおカネは税金であり、結局国民が全てを負担することになるのです。

このように本来であれば企業に要求される義務や安全への配慮を「デューディリジェンス」と言います。

24——国民の安全よりも企業の利益

製薬会社がワクチンの承認を申請した際、安全審査を大幅に簡略化する「特例承認」が適用されました。しかしそれが十分な臨床試験もなく短期で開発されたワクチンであり、安全が保証されていないことからすれば、全く不適切な措置だったのです。このように規制や承認は国民のためではなく当該業界の利益のためであるとする見方を「キャプチャー理論」と言います。

25――政治家とマスコミの醜悪なコラボ

薬品の副作用の確認には最低3年から5年を要するとされますが、コロナワクチンは臨床試験が始まったばかりなのです。そして懸念された通り接種が始まった直後から続々と副反応が報告され、（2021年7月時点）厚労省の発表によると死亡者は919人に達し、すでに薬害エイズ事件の2倍以上の被害が生じているのです。それにもかかわらず政治家やマスコミはこの問題を国民に周知しないのです。このように人倫道徳と国家機能が同時に崩壊する様相を「アノミック状況」と言います。

26――あまりにも杜撰な数字が物語ること

大阪の1日のコロナ感染者が666人と発表された翌週に、東京のそれが555人と発表されました。そしてその翌月には愛知の一日の感染者が666人と発表されたのです。かくも不自然にゾロ目が続くことは確率的にまずあり得ず、やはり私達はコロナ禍に関する全てを一旦白紙に戻し、あらゆる情報を疑わなくてはならないのです。このようにフェイクニュースと事実報道が互いに補完して民衆を撹乱することを「倒錯行為遂行」と言います。

27——現代の「死による支配」

コロナ禍とは国家の脅迫なのかもしれません。つまり政府は「恐ろしいウイルスが蔓延しているのだ。お前たち国民は国の方針に従って行動を自粛し、ワクチンを接種しなければ感染して死ぬのだ」というコンテクスト《文脈》によって国民を服従させているのです。このように死をちらつかせながら支配することを「タナトス」と言います。

28――投資家はコロナの流行を知っていたのか

ワクチンの三大メーカーであるファイザー、アストラゼネカ、モデルナの株価は、コロナ禍が生じる前年から同時に高騰していました。また医療用検査機器を扱うベクトン・ディッキンソン社や、注射器などの巨大シェアを持つＷＳＴ社などの株価もコロナ禍より先行して上昇していました。これらの事実からすれば、コロナ禍が何者かによって計画され、その情報が投資家に共有されていた、という仮説が成立するのです。このように権力に近しい者たちが先行して情報を入手することによって利潤を得る営みを「アクセス・キャピタリズム」と言います。

29—国境を越えて作用する権力

米国の政界でばら撒かれる薬品企業のロビー《買収工作》資金は年間300億円と推定されます。これはＩＴやエネルギーなどの団体を抜いて断トツの額です。こうして米国の議会が薬品企業の要望に従って内政・外交を決定し、それが日本の国会に下達されるのです。このようにグローバルな資本が国境を越えて各国の政治を支配する形式を「遠距離暴力」と言います。

30——民意ではなくマネーが政治を動かす

フォーチュン500社に名を連ねる企業の内10社が製薬・医療メーカーです。そしてこの僅か10社の売上は残り490社の売上総額よりも多いのです。結局そのような途方もないマネーが多国籍なメディカル企業の権力資源《リソース》となり、それがロビー活動《政界工作》に用いられているのです。

このように莫大な富を持ち国民の代表議会を圧倒する国際的な権力層を「プルトクラート」と言います。

31――コロナ禍が人権を停止させる

予防接種法改正案ではコロナワクチンの接種を任意としています。しかし、今後は就業、就学、宿泊、入場、入店、移動などの度に「接種済証」が求められ、ワクチンを接種せざるを得ない状況に追い込まれるのかもしれません。これは決して憶説ではなく、すでにＥＵ諸国ではワクチン・パスポート《接種証明書》が導入され、それなしでは社会生活に支障をきたす状況になりつつあるのです。このように人権を縮減し国民を統制管理しようとする体制を「無制限政府」と言います。

32——建前は自由だが事実上の強制

繰り返しますが、すでに欧米ではワクチン・パスポート《接種証明書》の所持が義務付けされつつあり、いずれニホンでも同じ制度が導入されるのかもしれません。だとすれば、ワクチン接種は実質として強制となるのです。このように各国の政府機関が或る目的のために連携して民衆を服従させる取り組みを「交差圧力」と言います。

33―人工知能が治安を維持する日

ワクチンの接種証をマイナンバーに紐付けすることが検討されています。そうなると国民はコロナ禍が終わった後も常時監視され、中国のように人工知能《AI》が付与するスコア《点数》によって人権を調整されるのかもしれません。このような電子技術によって治安を維持する体制を「デジタル・パノプティコン」と言います。

34——支配層が下す非公式な制裁

ワクチンの接種を拒む者は、感染予備軍として（スマホの位置情報システムなどにより）常時監視下に置かれ、いずれは諸々の社会権が抹消されるのかもしれません。つまり本来であれば不完全義務（権利と対応しない義務）であるワクチン接種を、完全義務（権利と対応する義務）にする暴挙なのです。このように支配層が規範《ルール》を破った者に処する非公式な制裁を「習律」と言います。

35——思想を管理する機関の出現

コロナの拡大防止を名目に、マイナンバーと携帯番号を紐付けし、それに位置情報、クッキー《検索履歴》、戸籍、納税記録、カルテ、ＩＰアドレスなどを加えメタデータ化することが構想されています。そうなると私たちの個人情報は一元管理され、プライバシーだけでなく思想信条までも政府や企業に捕捉されることになるのです。結局のところデジタル庁はその中心的組織として創設されたと考えるべきでしょう。このように膨大な個人情報と照らし合わせ国民を監視することを「データヴェイランス」と言います。

36――緊急事態宣言が国民の脳に形成したもの

コロナ禍での緊急事態宣言は弾圧的なものではなく、外出や営業の自粛を呼びかける程度の穏健なものでした。しかしそのような「ソフトな戒厳令」が国民の警戒を解き、〝改憲案に緊急事態条項を盛り込むことなど大したことではないのだ。むしろ積極的に緊急事態条項を改憲案に取り入れるべきなのだ〟という合意を形成したのです。このように先行する情報がその後の意思決定に重大な影響を与えることを「プライミング効果」と言います。

37——民主主義が恐怖政治を生む

コロナ禍での緊急事態宣言は圧制者に強いられたものではなく、マスコミに扇動された国民が積極的に望んだものだったのです。この様相は「脅威は民主主義世界の内部から来る」という言葉さながらであり、国民は自ら改憲案に緊急事態条項を盛り込む道筋を作ってしまったのです。このように民衆の思考は周囲の圧力やムードによって決まることを「グループ・ダイナミクス」と言います。

38——大衆は権力に服従したい

繰り返しますが、コロナの感染爆発報道でヒステリー状態に陥った国民は自ら憲法の停止を求めました。すなわち「致死的なウイルスが蔓延しているのだから、たとえ人権が制限されようとも緊急事態宣言を出すべきだ」という合意《コンセンサス》が形成され、それは憲法改正の巨大な礎石となったのです。このように国民が率先して権力に服従することにより圧政が完成するという見方を「自発的隷従論」と言います。

39――国民に上下関係を叩き込むための取り組み

感染者の増加を受け「まん延防止等重点措置」が大阪府などに適用されました。しかしこの罰則である違反店舗の公開は、ネーム・アンド・シェーム《氏名を晒すことによる制裁》という専制国家特有の法規を彷彿とさせ、民主国家にあるまじき行為なのです。このように支配層が国民より上位にあることを思い知らせるための制裁を「象徴的暴力」と言います。

40——コロナという論理爆弾

コロナ禍は或る種のロジックボム（所定の条件下で炸裂しシステムエラーを引き起こす論理爆弾）と言えるのかもしれません。つまりコロナ禍という社会プログラムは防疫を名目に民主制を破壊した挙げ句、搾取的な制度の完成を指向している、という仮説が成り立つのです。このように物事を全く異なる分野から類推して思考することを「アナロジカル・シンキング」と言います。

41――法律の真空状態でファシズムが生じる原理

9・11テロを機に公布されたアメリカの「愛国者法」は当初期限付きの時限立法でした。しかしその後オバマ政権によって実質的に恒久法化され、以降のアメリカは検閲や監視が蔓延《はびこ》る社会に変貌したのです。だから私たちも緊急事態宣言による憲法の一時停止措置が、そのまま無期限に延長されることを警戒しなくてはならないのです。

このように支配層が法律の真空状態に付け込み権力を無限に拡大させようとすることを「例外主義」と言います。

42——歴史に学ばなければ同じ轍を踏む

私たちが最も恐れるべきことは「例外状態と通常状態の一致」です。繰り返しますが、コロナ禍という非常事態での憲法停止措置が、無期限に延長されることに最大の注意を払わなければならないのです。現にこの手法によってナチ党は政権の地歩を固め、周辺国を侵略し強制収容所でホロコースト《大虐殺》をやってのけたのです。このように外国の悪しき先例を参照して仮説や予測を立てることを「教訓導出」と言います。

43――論理よりも感情、事実よりもイメージ

哲学者のアガンベンは世界的なコロナ禍を擬制《ヤラセ》と捉え、「過剰な騒ぎの背景には経済的な思惑がある」と表明しました。そしてこの混乱に乗じて「例外状態と通常状態の一致」が図られると警鐘を鳴らしているのです。彼の発言は決して憶断ではなく、「発症者の約90%が軽度で集中治療を要するのは4%程度に過ぎない」というイタリア学術会議の見解を根拠としているのです。このような科学的な事実より感情やイメージが世論の形成力を持つという見方を「ポスト真実の論理」と言います。

44――国民の代表でない者たちが国民を支配する

さらにアガンベンは「例外状態における意思決定者が真の主権者である」と語りました。結局のところ、日本の例外状態における主権者は国民ではなく、国会を睥睨《へいげい》するグローバル資本や、日本会議を始めとするカルト団体や、軍国主義の復古を目指す経済人グループなのです。このように国民の代表ではないにもかかわらず実質として国を支配する者たちを「ステイト・マネージャー」と言います。

45——非常時ではカルトが主権者になる

繰り返しますが、よくよく考えなくてはならないことは「例外状態では誰が主権者になるのか」という問題です。安倍政権は閣僚のほぼ全員が戦争国家への回帰を目指す日本会議に属していましたが、菅政権の閣僚も20人中14人が日本会議とその関連団体に名を連ねています。つまり一旦緊急事態条項が発令されたならば、主権はカルトに移譲されるのです。このように宗教団体と国家権力が合致して支配する体制を「神権政治」と言います。

46――民主主義はファシズムに回収されるという定理

ドイツの「感染症予防法改定案」はコロナウイルスの感染防止を名目に、人身の自由（肉体的・精神的に拘束を受けない権利）や集会・結社の自由を制限しています。つまり悲惨な歴史を繰り返さないために制定されたドイツ刑法が実質解体されているのです。このように一つの国がファシズムを克服し民主主義を樹立しても、いずれまた同じ体制に回収されるという見方を「政体循環論」と言います。

47——生命・財産・自由を独断で処分する体制の復活

「感染症予防法改定案」によって〝民主主義を否定することを認めない民主主義〟というドイツの反ナチ精神は終焉したのかもしれません。換言するならば、これは国家が国民の生命・財産・自由を独断で処分する体制の復活であり、だとすれば、この事件はドイツ一国の問題ではなく、世界がコロナ禍を端緒に再び暗黒化する象徴なのです。このようにファシズムが成立する過渡期の体制を「ファビアン・ファシズム」と言います。

48――暗黒が感染症のように世界に広がる

アメリカ、カナダ、ニュージーランド、ドイツ、デンマークを始め各国が続々と強制収容所を建設しています。これらはあくまで感染者や入院・隔離に応じない者を対象とするという建前ですが、PCR検査で陽性という既成事実さえあれば、特措法や緊急権限の枠組みで誰でも収容することが（理論的には）可能となるのです。やはり世界はコロナ禍を端緒にファシズムへ急傾斜していると見るべきでしょう。このように或る国の政策方針が感染症のように他国に広がることを「外延化」と言います。

49——ファシズムが復古する時代に生まれた君たち

新型コロナ特措法の改正案には、入院勧告を拒否した感染者への懲役刑が盛り込まれようとしていました。やはりコロナ関連法はドイツの改正感染予防法（公衆衛生が基本的人権より優先される法律）に酷似しており、やがて政府批判を取り締まる道具になることを警戒すべきなのです。このように権力を振りかざし自由な思想や言論を弾圧する思潮《イズム》を「権威主義」と言います。

50——ナチスの亡霊が日本で徘徊する

これまで筆者は「市場原理主義の行き着く先はファシズムである」と主張してきました。結局のところ資本が法律と人倫のくびきから完全自由となった体系が、ナチ党支配下のドイツや大政翼賛会支配下の日本であり、今社会はまさにそのリバイバルの途上にあるのです。概観すれば、両者の上部にはグローバルな金融家たちが睥睨《へいげい》しており、その支配の構造が現代的に再編強化されていることに間違いありません。このような歴史事実を歪曲し自説や立場に都合よく修正しようとする者を「フォージャー」と言います。

51――独裁と弾圧の治安国家

「安全国家は国家の内部に恐怖を作り出し、その恐怖によって司法権力を消滅させ、緊急状況を通常状況とすることにより主権者となる」とされます。つまるところ〝安全国家〟とは独裁と弾圧から成るナチ的な治安国家であり、現代文脈における〝恐怖〟とはまさにコロナ禍なのです。このように緊急事態を根拠に権力が少数の者に委ねられる体制を「委任独裁」と言います。

第2章

それでも「政治が在る」と信じるのか

52——主権がないのに主権があるように振る舞う

菅内閣が発足しましたが、やっていることは前の政権と変わりありません。つまり民営化や、規制緩和や、自由貿易を柱とするグローバル化路線をそのまま継承しているのです。結局のところ鳩山由紀夫が「総理大臣に権限などない。重要法案は日米合同委員会で決定される」と公言する通り、政権が交代したところで、意思決定が在日米軍と上級官僚の合議に委ねられる体制に変わりはないのです。

このように主権がないにもかかわらず主権があるかのように振る舞う国を「クエイザイ・ステイト」と言います。

53——政権が代われば政治が変わるという妄想

繰り返しますが、政権が交代しても何も変わりません。総理大臣や内閣の顔ぶれが変わったところで、外資という司令塔は不動であり、旧来と同じグローバル路線が継承されるのです。つまり私たちの国ではトランスナショナル《越境的》な資本家階級によって民主制が破壊されており、議会は民意を汲み上げる機能を全く持たないのです。このように政権が代わったと見せかけて同じ支配体制を継続させることを「疑似政権交代」と言います。

54——ニホンの民主主義は脳の中にしかない

政府の頂上団体として日米合同委員会があります。そしてこの組織は本国《アメリカ》の指示で動いています。そして本国の議会はグローバル金融と多国籍企業のロビー《資金工作》によって動いており、この階層的な意思決定の下で日本の法律や外交が決定されているのです。つまり国民の代表が民意を集約し政治に反映させる議会制民主主義は建前に過ぎないのです。このように多国間に跨る金融と企業が世界を統一的に支配する様式を「グローバル・ガバナンス」と言います。

55――分かりやすい言葉で言えばカツアゲ

証券市場を通じて国民の老後資金が米国に流れています。また、100兆円を超えるお金がアメリカ国債と交換されていますが、ニホンはその所有権も決済権も持たないのです。しかし政治家の誰一人としてて米国に抗議できません。なぜなら国内には130以上もの米軍基地が在り、反抗が生じないよう常に威嚇しているからです。このように大国が支配国に要求を呑ませるために用いる軍事力を「シャープパワー」と言います。

56——国策捜査とマスコミが愛国者を葬る

よくよく考えなくてはならないことは、国民が支配に抗う政党や政治家を打ち立てても、それを解体する仕組みがあることです。つまり検察とマスコミがグローバル資本の抑圧的国家装置《RSAs》として埋め込まれており、救国的な政治家や政党が出現したところで、たちまち国策捜査とメディアバッシング《報道機関による攻撃》を食らい政治生命を絶たれるのです。

このような実情にもかかわらず主権が存在すると妄想する体系を「イマジンド・ポリティカル・コミュニティ」と言います。

57——70年以上にわたり自由を撲滅してきた

米国による内政干渉の排除に努めた小沢・鳩山政権が解体された「陸山会事件」は、抑圧的国家装置《RSAS》による弾圧のモデルケース《典型例》だったのかもしれません。現実として私たちの宗主国は戦後70余年にわたり、支配地域に左派リベラル政権が樹立される度に撲滅を繰り返してきました。しかし国民はこの事件の意味や背景を全く理解できなかったのです。このように支配関係を不透明化することで相手国を支配する様式を「通時的帝国主義」と言います。

58——戦後から引き継がれる巨大な妄想

歴史家J・ダワーは「ニホン人は駐留米軍による支配の実情に全く気付いていない」と論じています。つまりニホン人は自国が米国の支配下に置かれ搾取される仕組みを理解していないと主張しているのです。このように被支配民族に自国が民主的な独立国家であると妄想させ支配する方式を「新植民地的革命」と言います。

59——法律を拡張解釈すれば国民を弾圧できる

菅政権は前の政権が制定した特定秘密保護法や共謀罪法などの授権法（為政者の思惑によって運用できる法律）をフル活用するのかもしれません。つまり新しい政府はこれらの暗黒法によって障害となる団体や人物を排除するのかもしれないのです。治安維持法も当初は弾圧法ではないと説明されていましたが、その後は拡張解釈によって反抗の取締りに用いられたことを忘れてはなりません。このように民主的権利を脅かす政治的な暴力を「ティラニー」と言います。

60——それは戦争国家のスローガンだった

「国債は国民の資産である！」、「国債を刷るほど国民は豊かになる！」などという主張が流行っています。しかしこれらは元々戦時中に大政翼賛会《ファシスト》が用いたスローガンであり、大量の戦時国債が発行された結果、国民は資産課税によって財産を没収されたのです。そして現在も国債を発行した分だけ元本金利が課税され、国債償還費は毎年国税の40％以上にも達しているのです。このような仕組みを理解せず無限に国債や通貨を発行できると盲信することを「財政錯覚モデル」と言います。

61――債権者は銀行、債務者は国民という原則

国債の発行と社会保障費の削減はワンセットです。つまり国債を発行すれば増税されるだけでなく、償還のため医療や、福祉や、教育の予算がカットされるのです。そもそも債権者は国債を所有する金融機関であり、債務者はその元本利息を税金で支払う国民です。国債が安全資産とされるのは償還が徴税権によって保証されているからであり、銀行は貸し倒れの心配がないことから国債を引き受けるのです。このように公的な債務の問題から支配関係を突き止めることを「負債論的転回」と言います。

62——奴隷は奴隷制の仕組みを知らない

政府は国債の発行によって調達したキャッシュ《現金》を外郭団体（独立行政法人や特殊法人など）に流し込みます。官僚はそこに天下り不労所得を得ます。そして政治家がその系列の企業から献金を回収し、国債の償還義務（増税や社会保障の切り捨て）を国民に課すのです。このように特権層が国債と交換したおカネを私物化し返済の義務だけを国民に押し付ける支配の方式を「債務奴隷制」と言います。

63——重大な問題を議論させない権力

総務省が公表する完全失業率は3%程度ですが、欧米の算出基準を適用すれば、ニホンの失業率は10%以上に達するでしょう。現に政府の雇用統計には、ギグワーク《単発の仕事》で凌ぐ人々や、長期求職者は除外されているのです。だからこそ失業給付の延長や、生活保護の強化や、給付金の継続を早急に検討しなくてはなりません。しかし、こうした喫緊《きっきん》の議論が国政から一掃されているのです。このように真に重要な問題に言及させない不可視な権力を「二次元的権力」と言います。

64——人間を使い捨てにすれば国が滅びる

コロナ恐慌によって倒産と失業が激増しています。しかし政府はこの状況でさらに正規雇用を減らし、派遣労働《ポステッド・ワーカー》や請負に置き換えようとしているのです。そうなると国民は所得が益々減少し、これまで以上に貧しくなるのです。そして個人消費の低迷によって経済が縮小し、やがて国そのものが崩壊するのです。このようなことが分かりきっていながら人間の使い捨てによって利益を得ようとする営みを「ギグ・エコノミー」と言います。

65――国民の救済も経済の発展も目指さない政府

コロナ恐慌によって経済が悪化しています。だから本来であれば、国は減税や社会保険料の引き下げで国民の負担を減らし、消費市場がこれ以上縮小しないよう努めなければなりません。ところが私たちの政府は財政の悪化を理由に増税し、社会保険料を引き上げようとしているのです。このように経済の原理原則に反する政治の状況性を「パラロジズム」と言います。

66——ニホンは自由の国ではない

すでに勤労者の半数近くが不安定で低賃金の仕事に服するプレカリアートと化しています。そして今後はコロナ恐慌による倒産や廃業によって、この社会層の人々はさらに増えるのです。この次元で筆者が思うことは、ニホン社会が「実質的自由」ではなく「形式的自由」の営みであることです。つまり人々の自由はあくまで建前であり、現実には金銭の制約により自由を行使できない状態に置かれているのです。このように人間の有様はその時代の経済や政治によって決定されるとする見方を「状況主義」と言います。

67──危険な法案の成立を見逃す野党

コロナ禍に揺れた２０２１年5月の国会では、事実上の憲法改正の手続きとなる「国民投票法改正案」を始め、危険な法案が続々と上程されました。それにもかかわらず野党は格別これを批判せず、また国民に広く周知することもなく法案の成立を看過したのです。このように与党と野党が対立する意思のない議会の在り方を「原子化された多党制」と言います。

68——与党のアシストが野党の仕事

野党の国会対策委員会は酷いものでした。彼らはコロナ問題だけに終始し、汚染水の放出、中国製監視システムの導入、日米FTA第二ラウンド（公的医療や皆保険制度が危機的状況である件）、ネットの言論規制などについて全く取り上げなかったのです。要するに野党は与党と協調して重大な問題圏をスルーしていたのです。このように与野党の対立が形式化し単なる見世物に成り下がる状況を「議会のスペクタクル化」と言います。

69——なぜ与野党の共犯関係を認められないのか

TPP・FTA・EPAの加盟、特定秘密保護法や共謀罪法の施行、派遣法の改悪、遺伝子編集・組み換え食品の認可、残留農薬基準の大幅な引き下げ、水道や森林の民営化、原発事故の自主避難者の支援打ち切り、100兆円にも及ぶ外国支援《ODA》、消費税率の引き上げ、5Gのインフラ化、スーパーシティ《監視都市構想》、経済特区などの亡国的な法案が議決される度に野党は無抵抗でした。つまり実質として「与党の暴走を見過ごすこと」が野党の仕事になっているのです。このような現実にもかかわらず過大な自尊心のため改めることができない（与野党は対立するという）観念や妄想を「定式的真理」と言います。

70――一つの支配があるだけで政党の対立はない

国民投票法改正案には与党だけでなく、立憲民主党や国民民主党を始めとする野党も賛成していました。つまり緊急事態条項を盛り込んだ危険な憲法改正の前措置を、与野党が談合するように決定したのです。このように支配層が望む法案を成立させるために協調する与野党の集合を「過大規模連合」と言います。

71――政治は与野党の談合によって成る

野党は自前の機関紙などで与党の政策に反対するようなことを述べています。しかし、そのようなインナーサークル《内輪の集まり》的な空間でどれほど騒いだところで、国民の１％にも情報が伝わらないことを理解しているのです。それにもかかわらずツイッターやフェイスブックなどの波及性に優れた媒体を周知戦略に活用しようとしないのです。

このように野党が与党に配慮し談合的に政権を運営する体制を「シンクレティック・ポリティクス」と言います。

72——野党とは看板を変えた与党の別名

野党の党首たちのツイートを見ても、種苗法改悪や国民投票法、RCEPや除染土の広域処理などへの言及が殆どありません。つまり彼らの誰一人として重大な問題を広く国民に訴え反対世論を喚起する「周知戦略」を採らず、実質として与党と協調体制を築いているのです。このように与野党が一体化し健全な対立項が消失した国会を「寡頭的議会《オリガルキー》」と言います。

73 ― 国会の立法機能が外国の資本に侵食される

日本の国会は外資の利権に関わることを議題にしません。なぜなら与党も野党も外資に服しているからです。だから遺伝子編集・組み換え食品の流通、水道・森林・インフラの民営化、年金の株式運用、主要都市の経済特区化、自由貿易による関税撤廃、種子法の廃止、派遣法の改悪を始めとする重大問題が、国政で殆ど取り上げられないのです。このように国会の立法機能が越境的な資本によって侵食される仕組みを「インターステイト・システム」と言います。

74——常識や信念に囚われると現実を直視できない

少し考えれば与野党の対立が茶番だと容易に見て取れるのです。しかしそれでも多くの人々は「与党と野党が対立する」という誤謬《ごびゅう》を改めることができません。つまりどれほど背信的な事実を突き付けられても、自分が支持する政党や政治家を疑うことができないのです。このように常識や信念に相反する事実を拒絶し自我を保とうとする心理的な傾向を「認知的斉合性」と言います。

75——学究によって幻想を粉砕すること

筆者は一貫して与野党の対立が擬制《ヤラセ》だと主張してきました。そしてさらにこの仮説を「ヘゲモニー政党制」、「非競合的政党制」、「対立物の相互浸透」、「政治的シナジズム《共働主義》」、「政治的カルテル」、「偽装野党」、「衛星政党制」などの用語で補強し、〝与党と野党は対立する〟という幻想を打ち砕いているのです。このように学究の立場から物事を徹底的に検証しようとする態度を「ロジシズム」と言います。

76——私たちが明視すべき絶望

筆者はどれほど謗《そし》られても、この国の議会が糾合《きゅうごう》（一つに纏《まと》められた状態）化しているという自説を撤回しません。おそらく読者もそれぞれに支持政党や信頼を寄せる政治家があり、それを否定する主張は不快極まりないものでしょう。しかしこれはやはり私たちが明視し超克すべきアポリア《大きな絶望》なのです。このように支配的な見解に抗い事実を述べ啓蒙する決意を「パレーシア」と言います。

77――ニホンの混乱状態で利益を得る者たち

与党の政策ブレインとされる外国人が「日本では中小企業の合併が望ましく、そのために中小企業の半分は潰れるべきだ」と発言しています。これが事実だとすれば、グローバル資本はコロナ恐慌に乗じ中小企業を統廃合した後、資本を注入し傘下に組み入れる狙いなのです。このように一国の混乱状態の隙を突いて爆発的な利益を得る営みを「ディザスター・キャピタリズム」と言います。

78——中小企業を潰せば経済が発展するという狂論

麻生副総理が「競争力のない（中小零細）企業は潰れればいい」と語り物議を醸しました。しかし、日本の雇用の70％は事業所の99％を占める中小企業に依拠しており、大企業の設備投資もこれらが生む個人消費によって支えられているのです。つまり中小企業を潰すことは、雇用と、個人消費と、設備投資の全てを悪化させることに繋がるのです。このように淘汰に任せれば経済が発展するという誤った論理を「清算主義」と言います。

79——倒産と、廃業と、失業と、自殺の山を築く

経団連グループを始めとする大企業の収益が高いのは、消費税の払い戻しや租税回避などの特権的な措置が付与されているからなのです。これは財界と政界の結託によるものであり、経営努力や生産性とは全く無関係なのです。つまり彼らの言う〝淘汰〟とは全く詭弁なのです。結局のところ中小企業を潰せという「清算主義」の先にあるものは、倒産と、廃業と、失業と、自殺の山に他なりません。

このような暴論によって破壊される倫理道徳と経済社会の共生関係を「コンヴィヴィアリティ」と言います。

80——戦時の昭和に酷似したファシズム

今のニホンのように政治や経済の問題が超複雑化し、国民の理解がそれに追いつかなくなる「複雑な社会」では、いつしか全体主義《ファシズム》が亢進します。そして気付いた時には戦時の昭和の如き弾圧政府が樹立され、民主主義の回復が極めて困難になるのです。だとすれば、特定秘密保護法や共謀罪法などの危険な法案の成立はその伏線だったのです。このように或る現象にはその前兆となる現象が伴うことを「共変原理」と言います。

81――国民が知らない緊急事態条項の恐怖

自民党の改憲案通りに憲法が改正され、一旦緊急事態宣言が発令されたならば、三権分立も、基本的人権も、（憲法に基づき国を運営する）立憲主義も停止となります。そして100日毎に継続決議をするだけで、緊急事態宣言は無期限に延長できるのです。しかも、この間は国政選挙が実施されないことから、現職議員は終身議員となり、実質として民主議会は終わるのです。このように憲法の機能を停止させることによって成立する専制《ファシズム》を「主権独裁」と言います。

82――憲法を停止させ例外状態を作る

慄然《りつぜん》とすることは、憲法改正草案に記された緊急事態条項が（為政者が好き勝手に運用できる）授権法的な性質を備えることです。すなわち、緊急事態条項が発せられた場合、内閣は法律と同等の政令を制定できる上、国民は行政の命令に従う義務が生じ、（言論・結社・表現の自由などの）基本的人権のみならず、社会権、福祉権、労働権なども軒並み縮減されるのです。このように憲法を停止させ例外状態を作り出す諸力を「法措定暴力」と言います。

第3章

この災禍から目を逸らしてはならない

83――メディアが理性を腐食させる

未曾有の原発事故から10年が経過しました。しかし溶融した核燃料の所在は今なお不明であり、収束には数千年どころか数万年を要するとすら指摘されるのです。それにもかかわらず、ニュースや、情報番組や、映画や、書籍などの諸コンテンツは原発事故があたかも終わったことのように印象操作しているのです。このような環境の中で意識が混濁状態に陥り理性が不全になることを「昏蒙《こんもう》」と言います。

84——この悲劇は子々孫々まで続く

これからニホンは原発事故の処理に天文学的なおカネを投じなくてはなりません。そして国民は何世代にもわたり（重税や福祉の切り捨てにより）負担に喘ぐことになるのです。しかしニホン国民である限りこれを拒否することはできないのです。このように現世代だけでなく子々孫々にまで及ぶ支配の諸力を「ポテスタス」と言います。

85——暴力ではなく記憶による統治

3・11《原発事故》を起点に「公共的記憶」が「対抗的記憶」に取って替わっているのです。すなわち原発事故は収束したという国家の虚偽が、原発事故は進行しているという科学的な事実を圧殺しているのです。このように事実でないにもかかわらず事実として共有される出来事を「集合的記憶」と言います。

86——原発事故より人間の幼稚さが恐ろしい

原発事故の直後には核の漏出が報じられていました。しかし続報はフェードアウトし、被災者の避難や賠償などの問題も国政で全く取り上げられなくなりました。そして気付いてみれば、原発事故は過去の出来事となり、国民の記憶痕跡《エングラム》と化しているのです。このように重大な問題を真剣に考えることも議論することもできない幼稚な個人の集合となった体系を「ディスクリート社会」と言います。

87——政府もマスコミも国民は馬鹿だと思っている

除染で剥ぎ取った土を公共事業や農地などで再利用する計画が進められています。放射性物質を含み健康を害する危険性があることから、何兆円もの莫大な予算をかけて除去した土を再利用すると言うのです。それにもかかわらず、新聞テレビはこれが被災地の復興に必要な措置であるなどと矛盾したことを主張しているのです。このように政治目的のために官民一体で取り組む宣伝や公報を「説得的コミュニケーション」と言います。

88――コロナ禍よりも桁違いの問題であること

福島原発の汚染水は事故以来ずっと垂れ流し状態なのです。しかし与党も、野党も、マスコミもそれを知っていながら全く取り上げないのです。汚染水とともに放出された核は環境や人体に甚大な被害をもたらすことが懸念されており、これはもはやニホン一国の災禍ではありません。このように人類共通の危機として取り組むべき問題を「グローバル・イシュー」と言います。

89——地球的なカタストロフをひた隠しにするニホンの学者たち

汚染水にはトリチウムだけが含まれているかのように報道されています。しかしそれにはセシウムや、プルトニウムや、ストロンチウムや、ウラニウムなどの危険な核種がセットで含まれているのです。だから各国はこれらが海流に乗って拡散することを強く警戒しているのです。にもかかわらず、ニホンの学者たちは汚染水が健康にも生態系にも影響しないなどと主張し、国民はそれを信じて疑わないのです。このように地位や信用のある者たちを使い事実を捻じ曲げることを「権威論証」と言います。

90――いかにして認識は歪められるか

太平洋沿岸諸国が福島原発の汚染水の被害を賠償請求した場合、その額は300兆円を超えるとも指摘されます。そうなると日本は財源確保のため、増税はもちろん、年金や医療を始め、社会保障費を全面的に削減するしかないのです。ところが、新聞テレビはこれほど重要な問題を取り上げません。つまり報道機関は政府と結託して汚染水の放出など大したことはないのだという印象操作を繰り返しているのです。このようなマスコミの説話や宣伝によって国民の認識が歪められることを「教化効果」と言います。

91——とにかく言い負かせば勝ちという時代

ネット右翼的な振る舞いが一般国民にまで浸透しています。つまり「原発から汚染水を放出したところで大した問題ではないのだ！　これに反対する者は非国民なのだ！」という暴論が支配的になっているのです。しかし汚染水放出が人類社会の全体を巻き込む巨大な災禍であることは紛れもない事実なのです。このように科学に開かれておらず迷信的で頑迷な態度を「反主知主義」と言います。

92―子ども並みの理性すら失ったのか

もはや日本人は道理を失っているのです。例えばコロナ禍よりもレベル7の原子力災害の方が脅威であること、三密よりも除染土の再利用や汚染水の放出を避けなくてはならないことなど、少し考えれば子どもでも分かることが分からないのです。このように統治に利用される人間の非論理的な特質を「残基《ざんき》」と言います。

93——これほど酷い状況でも思考しない

政府は原発事故の実態や被害の予測を国民に伝えようとしません。それどころか放射線は無害だという非科学的な態度を貫き、汚染水の放出や除染土の再利用を強行しているのです。しかしそれはいずれ私たち個々の事件として現象し、気付いた時には全てが手遅れなのです。このような酷い状況においてさえも〝これまで国の方針に従ってきたのだからこれからも国に従うのだ〟と国民に決意させる統治の方式を「伝統による支配」と言います。

94——政治文書も行政資料も黒塗りにする国

原発事故の翌々年には特定秘密保護法が公布され、それに関わる重大な資料とともに、40万を超える行政文書が黒塗りにされました。これは要するに原子力災害の実態を隠蔽し、「エネルギー権力」の有責者たちを処罰と賠償から逃れさせるための措置だったのです。このように民主主義の要件である知る権利を粉砕する体制を「検閲国家」と言います。

95——ド級の惨事に平静でいられる理由

レベル7という巨大な原子力災害は今なお亢進しています。それにもかかわらず国民が冷静でいられるのは、特定秘密保護法によって重大な情報が黒塗りされ、医療関係者に箝口令《かんこうれい》が敷かれ、新聞テレビから週刊誌に至るまで厳重に検閲されているからなのです。つまり情報統制によって国民は今なお平和で安全な社会があると妄想させられているのです。このように事実と認識するものは付与された感覚に過ぎないとする見方を「主観的概念論」と言います。

96——学者も知識人も反抗しない

科学者たちは除染土の拡散や汚染水の放出に反対意見を表明しません。買収されている者も多くいますが、そもそも彼らの多くが社会の現実に関心を持たなくなっているのです。だからこれほどの不正義の次元に際しても口を閉ざし、科学的真理の抹殺に抵抗しないのです。そしてその結果、国民は巨大な不明に陥ったのです。このように科学者の矜持《きょうじ》を棄て沈黙に徹する者たちを「閉じ籠もる科学者」と言います。

97──ニホンの科学は死滅した

科学の本分とは、現象の背後にある因果関係を探り普遍法則を示すことです。そしてそれによって将来起こり得る事態を予測し啓蒙することなのです。結局のところ、原発事故の実態がこれほど不明なのは、学識者が圧制者側に取り込まれ、実学としての科学が死んでいるからなのです。だから国民は現状も未来も理解が覚束ないのです。このような風潮に抗い理性と学知に徹しようとする態度を「主知主義」と言います。

98――文化も人間も腐り果てている

アーティストも原発事故によるド級の人権侵害を訴えません。つまり作家も、画家も、詩人も、映画人も、ロッカーも、ラッパーも、シンガーソングライターも卑劣な幇助犯《ほうじょはん》であり、「凡庸な悪」の構成者であり、今やニホンの全ての文化領域が死絶しているのです。

このように文化の側面から社会を考察することを「文化論的転回」と言います。

99——妄想の共有によって成る社会

精神病理学者の野田正彰は、感応精神病（伝染性の精神病）を患った集団を「妄想共同体」という言葉で表しました。これは3・11以降のニホン社会そのものと言えるでしょう。現に国民は原発事故を過去の出来事として扱い、放射線防御に努めることもなく、除染土の再利用や汚染水の放出などの問題に関心を持たないのです。このように事実や科学ではなく、感覚や主観を認識の基礎に据える営みを「心理主義」と言います。

100——迷信と非科学の排除という問題

よくよく注意すべきことは、優生思想や(遺伝子など存在しないとする)ルイセンコ主義などを始めとする疑似科学が、全体主義や独裁政治に利用されてきたことです。だから論理的な思考や計量的な分析を忌避する社会の態度はとてつもなく危険な兆候なのです。このような風潮の中であたかも正統な科学であるかのようにもてはやされる病的な言説を「フリンジサイエンス」と言います。

101——なぜ国連を信用してはならないのか

国連科学委員会が「放射線の影響により福島で癌が増加する可能性は低い」と発表しました。しかしそもそも国連はＩＭＦ《国際通貨基金》が債務国に資源供出や市場開放を迫る「ワシントン・コンセンサス」の仲介役であり、グローバル資本に服する諸機構の一つなのです。だから国連という権威を信用してはならないのです。このように援助や支援を装い相手国を支配する様式を「構造的帝国主義」と言います。

102——人権を唱える国が人権を抹殺する

日本は２００１年の国連会議で「人間の安全保障委員会」の設置を主導しました。それが今では原発事故の被災者を棄民し、国連憲章で定められた「保護する責任」と「対応する責任」を放棄しているのです。このように人権原理が国策によって解体される体系を「悪夢的国家」と言います。

103——社会の最底辺に置き去りにされる人々

福島原発の復旧にあたる企業を調査したところ、その半数が作業員の確保が困難だと回答しています。これまで雇用の受け皿であった外食などの産業がコロナ禍によってその機能を失うとすれば、今後は或る種の経済的徴兵として、膨大な失業者が廃炉作業に動員されるのかもしれません。このように人権を剥奪され社会階層の最底辺に固定される人々を「ホモ・サケル」と言います。

104 — 難民と棄民で溢れかえる国

原発事故の実態が徹底的に隠蔽される背景には日本の「金融化」があるのかもしれません。つまり国が政府機能を投げ捨て投資銀行化し、国民の人権や福祉よりも外国人投資家の配当を重視する体制に移行したことから（法律と倫理が同時に崩壊する）アノミーが生じているのです。だとすれば、今や誰もが「金融化」の直接的もしくは付随的な犠牲者なのです。このように超現代的《ポストモダン》な経済の構造によって生じる難民や棄民を「人間廃棄物」と言います。

105——メッセージの裏に隠された真意を解読する

テレビ局や新聞社が報じるのは原発事故の実態ではなく、もっぱら被災地の復興や「風評被害」に苦しむ人々です。つまり報道機関は途方もない構造的暴力の隠蔽に加担し、倫理道徳《エシックス》を逸失しているのです。このようにマスコミの情報がいかに事実と異なるかを認識し、その裏にある現象や真意を読み解くことを「メッセージ・システム分析」と言います。

106—収束していない惨事を収束したと錯覚させるイベント

原発事故からちょうど10年目を迎えた日、テレビ各局は特番を編成し被災地の復興をアピールしていました。しかしそれは全く現実からかけ離れた報道だったのです。つまり3・11の記念番組は原発事故が収束に向かっていると印象付けるための「疑似イベント」だったのです。このようにテレビの視聴者の認識が支配に都合よく画一的に保たれ主流化することを「メインストリーミング」と言います。

107――テレビが国民を教化する

私たちは「被災地を美化するモニュメント番組」を検証しなければなりません。すなわち原発事故の特番が視聴者の現実認識にどう作用しているかを分析しなくてはならないのです。そうすればこれらのコンテンツが事態を矮小化し、国民を教化するために流されているると理解できるのです。このように或る報道が何を目的とし、その結果どのような状況が生じているか突き止めることを「培養分析」と言います。

108——意識を規格化するメディアの鋳型

国民は新聞テレビによって原発事故が一過的な惨事だと誤認させられ、それが膨大な年月に及ぶ悲劇だと理解できないのです。そしてさらにコロナ禍が最大のニュースに見せかけられており、もはやニホン人にとって原発事故は関心の埒外《らちがい》なのです。このように作為的な報道によって支配的な共通認識が作られることを「主流形成効果」と言います。

109——真実でないものが真実化する次元

私たちはマスメディアによって原発事故への関心を削がれ、現実感覚を縮小させられているのです。換言するならば、原発事故以降の私たちは「真実でないものが真実化する次元」に存しているのです。このように虚構が現実を覆いつくし社会の実像が不明となることを「明識困難状態」と言います。

110——マスコミが国民の脳に刷り込むもの

今や上層国民と一般国民との間でとてつもない情報の非対称性が生じています。つまり政府側の人々は原発事故が未だ収束していないことを熟知する一方で、一般国民は新聞テレビによって過去の出来事だと思い込まされているのです。このように大衆に事実として付与される感覚や観念を「世界要素」と言います。

111――テレビ報道と国民意識の危険すぎる共鳴

聖火リレーは福島のJヴィレッジから始まりました。しかし「レベル7」の原子力災害は収束しておらず、その危機の最中に平和の祭典《オリンピック》を開催することはイカれており、結局それは「日本は原発事故を克服したのだ」と国民にアピールするための催しだったのです。このようにテレビが作る印象と視聴者の認識が一致し世界観が形成されることを「共鳴現象」と言います。

112―それはナチスが考案したイベントだった

そもそも聖火リレーは古代オリンピアを発祥とするものではありません。それはナチスが体制を世界に承認させるために考案したイベントであり、ファシズムのための「作られた伝統」なのです。また大戦中は日本とドイツは同盟関係にあり、ヒトラーユーゲント《ナチス青少年組織》が来日した際、明治神宮や靖国神社に参拝した史実などからすれば、やはり両国は全体主義との親和性が高いのです。このように過去の出来事に遡り現代の社会や人間の共通項を探ることを「歴史的類推」と言います。

113――毎年2つ以上の国が消滅している

国家の消滅は珍しくありません。大戦後から現在に至る70余年の間でも毎年2カ国以上が消滅しており、ソビエト連邦という巨大国家も原発事故を端緒《キッカケ》にあっけなく滅んでいるのです。だから私たちは福島原発事故を楽観的に考えてはならないのです。このように国家は万物と同じくエントロピー《崩壊力学》が作用する不安定な現象だとする理説を「社会編成化論」と言います。

第4章

メディアが創る仮想現実の檻の中で

114——政治とメディアの巨大な煙幕

コロナの感染爆発が報じられる裏では、RCEP（中国を中心とする東アジアの自由貿易協定）、日英FTA、種苗法改定、除染土の再利用を始め、危険な条約や法案が続々と成立しました。つまり一連の感染爆発報道は、これらの審議から関心を逸らす陽動《スピン》であり、政府とマスコミが仕掛ける巨大な煙幕だったのです。このように国民を恐怖に沈めることにより統治をスムースにすることを「パニックの政治」と言います。

115――全てを疑うことが知性の要件

コロナ禍が発生した2020年の休廃業件数は前年同期比で実に24%も増加していました。しかしこれには零細企業や個人の店舗などは含まれておらず、実際はその数十倍だと推計されているのです。

結局のところ、新聞やテレビが倒産件数を少なく発表するのは、不況を小さく見せることにより政府批判をかわすことが狙いなのです。

このようにマスコミが大衆の意識に植え付ける観念や社会像を「状況の一般図式」と言います。

116——マスコミが全体主義の道具であること

社会学者のレーデラーは「過去に存在しなかった全体主義が出現したのは、現代はそれを可能にする技術的な機会が与えられたからだ」と主張しました。彼の言う〝技術〟がマスメディアであることは語るまでもありません。そして今や新聞テレビはコロナの感染防止のために人権の抑制や憲法の改正が必要だと説き、全体主義への回帰を訴えているのです。このような報道の説得が即効的に合意的な世論を形成することを「皮下注射モデル」と言います。

117 ── 恐怖を煽り人心を惑わせるビジネス

新聞テレビはパニックを煽るのではなく、冷静になるよう国民に呼び掛けるべきなのです。つまりマスコミはコロナよりも優先度が高い問題《イシュー》が他にあることを、国民に訴えなければならないのです。にもかかわらずコロナだけが問題であるかのように報道し、危険な法律や条約の成立から国民の注意を逸らしているのです。このように新聞テレビが或る目的のために一斉に同じ論調で報道を繰り返すことを「メディア間の共振性」と言います。

118——大衆社会とは家畜社会である

私たちの社会はマスメディアによって催眠状態に置かれているのです。すなわち国民は盲動性、衝動性、軽信性、被暗示性という弱点を突かれ意識を奪われているのです。そうやってコロナが最大の問題であるかのように思い込まされ、その裏でどれほど重大な事が起きているのか全く理解が覚束ないのです。だから反抗が生じないのです。このようにマスコミを中心手段とする支配が完成した体系を「高度大衆社会」と言います。

119——テレビを視るほど知能が衰える

テレビ各局はＲＣＥＰ《包括的経済連携協定》の加盟によって経済が活性化するかのように報道しています。しかしそれはとんでもない誤謬《ごびゅう》（誤った考えを植え付ける詭弁）なのです。中国の食糧生産コストは日本の10分の1以下であり、しかも91％の関税が撤廃されることから（すでにＴＰＰ、ＥＰＡ、ＦＴＡなどの枠組みで安価な外国産品が流入していることもあり）国内の生産者の多くが廃業を余儀なくされるのです。このようにテレビによって大衆の意識を操ることを「テレ・マニピュレーション」と言います。

120――無知性だから無抵抗なのだ

近年は世界各国で種子企業への反発が高まり、農民のデモや暴動が多発しています。つまり多国籍なアグリビジネスは従来の放埒《ほうらつ》な事業展開が困難となっていることから、新たな進出地として抵抗気運の低いニホンを選んだのです。現に国民は「新聞テレビが取り上げないのだから、種子法の廃止など大した問題ではないのだ」と考え、未だに事の重大さを理解していないのです。このようにマスコミを道具とする衆愚政策によって成る体制を「メディア・オクロクラシー」と言います。

121――事実は報道されない片面にある

新聞テレビは種苗法の改正によって国産品種が守られるとアピールしました。しかしその一方で、自家採種が原則禁止になる件や、違反者に厳罰が処せられる件（莫大な罰金や共謀罪法が適用され得ることなど）を全く報じなかったのです。このように都合の良い面のみを訴求し、都合の悪い面を隠して印象操作することを「片面提示」と言います。

122——考えないことが美徳である社会

バラエティや、ワイドショーや、お笑いなどの衆愚コンテンツは公共教育とセット化された統治ツールなのです。それによってニホンの民度は低く保たれ、国民は何も考えない無抵抗な群れに調教されているのです。だから多くの人々は政治の在り方や経済の仕組みを考えることもなく、どれほど酷い状況でもテレビを見て笑っていられるのです。このように国民に浸透した無意識の慣習行為を「プラティーク」と言います。

123——存在しない好景気を信じ込まされていた

内閣府はニホン経済がずっと悪化していたことを公表しました。要するに「ウソをつき続けていたこと」を白状したのです。そしてその間には新聞テレビも「いざなぎ景気超え」とか、「戦後最長の好景気」などとウソを垂れ流し、政府のデマを助長していたのです。そして多くの国民が存在しない好景気を信じていたのです。このようにマスコミの報道によって現実感覚が作られることを「涵養理論」と言います。

124──事実を報道するのではなく、報道したことが事実となる

安倍政権は戦後最悪の政権でした。GDP下落率、自殺率、失業率、生活保護増加率、地価下落率、医療費自己負担率、出生率、貧困率、犯罪増加率などの指標が歴代ワーストであり、実績ゼロどころか巨大なマイナスだったのです。それにもかかわらず新聞テレビは「安倍政権は数々の改革を実行し、その評価によって憲政史上最長の任期を記録した」などと報道し、「自民党は優れた政党だ」と国民に印象付けたのです。このように報道機関が世論の形成や政党の支持率に絶大な力を持つとする見方を「マスメディア強力効果説」と言います。

125——国民はいかなる虚言にも従う

「安倍政権の素晴らしい実績が新しい政権に引き継がれる」という報道に対し国民は異議を唱えませんでした。そして大半の人々が「安倍元総理は立派な仕事を成し遂げた政治家である」という見解を素直に受け入れたのです。そして次の政権がさらなる虐政を行っても、また同じようなメッセージを刷り込まれるのです。このように国民の信念を維持・強化するために行う宣伝を「インテグレーション・プロパガンダ」と言います。

126——文化に擬態する権力

ニュース、記事、社説、コラム、音楽、映画、文芸などの諸コンテンツは権力が形を変えて発現した姿なのです。そうやって国民の認識や価値観に働きかけ、統治に都合の良い観念の枠組《フレームワーク》みを作っているのです。これがまさに「文化産業は抵抗の力を骨抜きにする」という格率《アフォリズム》の根拠なのです。このように支配権力が様々な文化形態に擬態する様式を「文化的プロテウス」と言います。

127——思考力を麻痺させ抵抗力を奪うもの

社会学者のマックス・ヴェーバーは「権力とは服従の強制力である」と語りましたが、現代の権力の中心手段はテレビなのです。つまり、バラエティや、ワイドショーや、お笑いや、スポーツ中継や、ドラマや、ニュース番組などのコンテンツは支配の道具であり、国民の思考を麻痺させ、抵抗力を奪うために流されているのです。このような環境の中で知的営為を消失し動物に等しくなる人間の在り様を「ゾーエー」と言います。

128——危機意識を鈍麻させるマスメディア

憲法改正で最も警戒すべきことは、信仰や、思想や、言論や、内心の自由を保障する「制限政府」が消滅することです。そして「制限政府」に替わり、これらの一切を否定する「無制限政府」が登場することです。しかし新聞テレビが官報化していることから、これほど重大な問題が全く周知されないのです。このようにマスメディアによって危機意識が徐々に鈍麻し無反応になることを「報道の脱感作」と言います。

129——税金で雇われた者たちが世論を工作する

広告代理店の大手が政府の依頼でネットの工作チームを組織し、匿名掲示板やＳＮＳで世論操作を行っていることが暴露されました。そうやって企業を通じて国に雇われた者たちが与党を擁護するとともに、中韓へのヘイトや、反政府的な言論人に対する攻撃を繰り返しているのです。このようにネット上で繰り広げられる組織的な嫌がらせを「トローリング」と言います。

130　ウェブは悪意の戦場と化した

ネットの世論工作は5ちゃんねるやツイッターだけではありません。それは今や諸々のキュレーション《まとめ》サイト、ウィキペディア、ＹｏｕＴｕｂｅ、ニコニコ動画、Ｆａｃｅｂｏｏｋ、ヤフコメなどおよそ全ての電子媒体に広がっているのです。このように電脳空間で広められる政治的な宣伝や言説を読解し、その背後にある意図を探る能力を「インターネット・リテラシー」と言います。

131 経済が後退するとヘイトが流行る理由

ツイッターを始めとするＳＮＳの界隈では、またぞろ中国ヘイトや在日バッシングが盛り上がっています。しかしこれは経済の悪化や失業の増加をマイノリティに帰責する古典的な政治手法なのです。つまり差別的な思潮の高まりは人為的に作られたものなのです。このようにヘイトによって失政を誤魔化したり、怒りの矛先を他民族に向けさせることを「スケープゴーティング」と言います。

132——ネット住民は口を塞がれるのか

女子プロレスラーの自殺事件をきっかけに、ＳＮＳの発信者の特定を容易にする法案が成立しました。これにより今後は匿名性が保障されないことから、ネットで政治を議論したり国を批判することが憚《はばか》られる萎縮効果が生じるのです。このように常に監視されているという自覚によって反政府的な言論や表現を自粛する国民を「従順な身体」と言います。

133——SNSの自由言論が生贄《いけにえ》になる

女子プロレスラーの自殺の背景には、彼女を悪玉に仕立てるシナリオがあったと指摘されています。だとすれば、それは明らかに放送倫理規定に違反するのです。つまり規制されるべきはSNSではなく低劣なテレビ番組なのです。にもかかわらずSNSが自殺の要因だと断定されているのです。このように論点をすり替え企図した通りの結論へ誘導する誤謬《ごびゅう》を「チューバッカ弁論」と言います。

134 ツイッター発の言論統制

ツイッター社はコロナワクチンについてデマを5回発信したユーザーのアカウントを抹消すると発表しました。しかし何をもってデマとするかは高度に科学的な審級を要し、到底一企業が見定められるものではありません。例えば原発事故の直後に核燃料の溶出を指摘したツイートはデマとして扱われましたが、その後に正しい情報だったと認められています。このようにアカデミズム《学術的知見》を軽視し恣意や感覚で対処する態度を「ポスト科学」と言います。

135——政府を批判すれば罰せられる時代

ネットの誹謗《ひぼう》中傷の訴訟手続きを迅速化する改正案が通過しました。しかし誹謗中傷という言葉は明確に定義されておらず、この法律は支配層の恣意《しい》によって運用される可能性が極めて高いのです。つまり政権や政策に対する批判を誹謗中傷として取り締まることが懸念されるのです。このように体制への反抗に処罰でもって臨むことを「制裁戦略」と言います。

136 権力は全てのメディアを検閲したい

すでに新聞、テレビ、ラジオ、週刊誌などの主流メディアは検閲されています。つまり北朝鮮などの人治国家と同じように、この国ではマスコミが政府の管理下にあるのです。だからソーシャル・メディアが規制されるならば、ニホンは全く言論の自由がない国になるのです。このように民主的な原理を踏みにじることによって成る弾圧的な体制を「大権国家」と言います。

137──戦争国家への回帰を目指す財界人たち

新聞テレビのクライアント《広告主企業》には「日本会議経済人同志会」や「国策研究会」の会員企業が名を連ねています。つまり軍事国家への回帰を目指す極右の財界人たちが、間接的にマスコミを支配し、憲法改正を推し進めているのです。だから改憲案の何がどう危険なのか国民に周知されないのです。このように専制《ファシズム》を志向する権力と報道機関が結託する体制を「メディアクラシー」と言います。

138——外国の資本に所有されるニホンのテレビ局

証券保管振替機構によると民放の外資比率は、テレビ朝日が12％、TBSが14％、日本テレビが24％、フジテレビが32％となっています。結局こうした経営関係によって外資に不都合な情報が遮断され、国民はグローバル化の脅威を感知できないのです。このように相手国のマスコミを傘下に収め支配する方式を「メディア帝国主義」と言います。

139——支配されていることを自覚させない支配

今のニホンのようにインフラや公営施設の民営化、関税の廃止、勤労者の非正規化、福祉の縮減などを進めると、国民から反発が生じます。だから支配層は情報を操作するのです。つまりマスコミを支配下に置き、国民を無知に沈め、問題を誤認させることによって統治するのです。このように国民に支配の様式を気取《けど》られないように支配する諸力を「環境管理型権力」と言います。

第5章

残酷な世界の現実から見える私たちの未来

140――有権者が選挙に参加できない仕組み

2020年の東京都知事選挙では、開票率が1％にも満たない時点で小池氏の当確が報じられました。しかも当時の総理大臣の親族が出資する企業が集計作業を請負い、期日前投票事務や選挙人名簿管理システムの保守を担い、投票用紙交換機、開票事務用機器、投票用紙枚数計数機なども納入していたのです。これでは不正選挙が疑われても仕方がありません。このように選挙の公正さが根本的に損なわれることを「民主政の赤字」と言います。

141——選挙制度はあるが民主制度はない

不正選挙は世界的な趨勢《すうせい》です。例えばアメリカの大統領選挙では、ディボールド社製の不正プログラムの使用が暴露されています。カナダでもそのような事情から電子投票が廃止され、スイスでも電子投票の導入が見送りとなりました。またドイツ、アイルランド、オランダ、カナダ、ノルウェーなどでも、電子投票が事後調査できないことが大きな問題になっています。このように国民に信を問う形式で不正に支配する行為を「プレビシット」と言います。

142—「お前たちが選んだのだから文句を言うな」という論理

グローバル資本による東京都の支配は一層強化されます。なぜなら小池百合子が再選されたことで「都民は国家戦略特区の推進に賛成した」という文脈が作られ、今後グローバル資本は特区の枠組みで直接首長に命令し、実効支配することが可能となったからです。このようにどれほど不正義なことでも有権者が為政者の方針に合意したとみなされることを「共同行為者の了解」と言います。

143——都民の多くが貧困に転落する

繰り返しますが、これからグローバル資本による東京の支配は一層強化されます。すなわち、移民の増大や、労働法の無効化や（解雇の自由化や）、外資優遇のための増税や、インフラや公共施設の民営化や、諸々の規制緩和や、福祉サービスの切り捨てが大々的に着手されるのです。そしてその結果として都民の多くが貧困に転落するのです。このように多国籍資本が描く支配の構想を「ヘゲモニー・ヴィジョン」と言います。

144——どちらに転んでも外資が儲かる両建構造

大阪都構想は住民投票で否決されました。しかし大阪都化したのと同じように、今後は民営化や規制緩和が進められるのです。なぜならすでにＴＰＰや、ＦＴＡや、ＥＰＡなどの通商条約が締結されており、外国人投資家は（利益を妨げられた場合は相手国を提訴できるという）ＩＳＤＳ条項や、（目論み通りの利益が上がらない場合は賠償請求できるという）非違反提訴条項や、大阪府の経済特区《SEZ》化などを駆使し、要求を呑ませることができるからです。このようにどちらに転んでも外国の資本が儲かる両建の構造を「ダブル・オプション」と言います。

145——住民を犠牲にすることで企業の利益が増える

すでに大阪の北区、都島区、福島区、中央区、港区、大正区を始めとする自治体の業務が派遣に置き換えられています。そして市バス、病院、公園、地下鉄、図書館などの周辺機関に至るまで民営化が進められているのです。つまり大阪都化される以前に、実質として大阪都化が推進されており、今後それが自由貿易や経済特区《SEZ》の枠組みで完成するのです。このように企業が規制のくびきから逃れ利潤を倍増させる営みを「コーポレート・リベラリズム」と言います。

146——大阪の特区化とは大阪のブラック特区化

大阪市の水道の民営化は市議会で一旦否決されていますが、検針業務などはすでにヴェオリア社に委託されており、完全な民営化も時間の問題なのかもしれません。また大阪市はすでに経済特区に指定されていることから、労働規制の緩和によって解雇が自由化され、外資の減税の原資を確保するため福祉や住民サービスが削減されるでしょう。つまるところ大阪の経済特区化とは大阪のブラック特区化なのです。このように企業や投資家のために住民の権利や福祉を最小にすべきだとする過激思想を「ハード・リバタリアニズム」と言います。

147——ニホンはニホン人の国ではない

やがて全国の都市が経済特区の名目で外国人自治区《エンクレイヴ》化します。そうなると多国籍企業が主幹事を務める「区域会議」が行政を担い、自治体や地方議会よりも強い決定力を持ち、財源が福祉や教育よりも外資の減税などに優先して使われるようになるのです。このようにグローバリズムによって住民主権が廃《すた》れる有様を「新帝国主義的従属」と言います。

148——傀儡である私たちの政府が仕えるもの

政府は経済特区に進出する外資企業の減税策を打ち出しています。そしてその原資を確保するために、福祉、医療、年金、教育などの予算の削減を検討しているのです。つまり私たちの政府は傀儡《かいらい》であり、外国の企業や投資家のためには、国民を犠牲にしてもかまわないという方針なのです。このように支配する者と支配される者の関係性が固定された社会を「コンタクト・ゾーン」と言います。

149——国を売れば莫大な報酬が得られる

グローバリズムの特徴とは「儲かる分野」に資本が集中することです。語るまでもなく、現代の「儲かる分野」とは民営化や規制緩和、そしてその仲介や口利きです。自民党や維新の会が特区や都化に邁《まい》進《しん》する事情は、それによって得られる莫大なレント《成功報酬》なのです。このように政権者とそれに近い者が不正に利益を得る営みを「ヘデラ型資本主義」と言います。

150——条約が憲法の上に置かれた

すでにＴＰＰ、ＦＴＡ、ＥＰＡが発効されています。しかしこれらの条項は単に貿易ルールの取り決めとなるだけでなく、自体が憲法の上位法として置かれるのです。そうなると私たちの民意を代弁する国会は町内会程度の機能しかなくなるのです。このように主権を骨抜きにされ政府機能が消失した体系を「無権力国家」と言います。

151——ニホンの全土が搾取工場になる

自由貿易体制によってこれまで産業や権利を守ってきた諸制度が破壊されます。そうなると日本の全域が搾取工場《スウェットショップ》的な営みとなるのです。つまりグローバル資本が日本を利潤拠点《プロフィットセンター》とする一方で、国民は福祉の廃絶と貧困によって苦しむという民族的矛盾が生じるのです。

このように外国の干渉によって発展の可能性が閉ざされた体系を「挫折国家」と言います。

152 ―「公正な世界ルール」で全てを奪い尽くす

つまるところ自由貿易主義とは帝国主義なのです。帝国主義とは、自国の資本を増殖させるために他国の市場を奪うことです。ＴＰＰ、ＦＴＡ、ＥＰＡ、ＲＣＥＰなどの自由貿易協定はいずれもこの侵略思想に則っているのです。このように国際投資紛争解決センター《ICSID》や世界貿易機関《WTO》などを介し、あたかも公正な世界ルールを広めるかの如く支配する現代の方式を「集団的帝国主義」と言います。

153――この先の未来に復興はない

人類学者のE・トッドは「グローバリズムは合理性と効率性の原理であり、個別的具体性（地域的・社会的・宗教的・民族的なもの）の一切を破壊する」と語りました。結局のところ、自由貿易や経済特区に絡め取られたニホンの未来は復興のない荒廃なのです。このように過去の出来事によって現在と未来が規定されることを「履歴効果」と言います。

154——企業家と投資家のための政府

要するにグローバリズムとは「主権のバラ売り」なのです。だからTPPや、EPAや、FTAや、RCEPなどの不平等条約が締結され、福祉・医療・教育が（グローバル企業の減税原資を確保するために）解体され、勤労者が（派遣名目で）使い捨てにされ、その結果として貧困や自殺が蔓延《はびこ》り、大都市が（経済特区という枠組みで）治外法権化され、水道や森林や諸々のインフラが叩き売られるのです。このような事態に対する責任を逃れるため法律や条約の成立過程を不明にする行為を「ポリシー・ロンダリング」と言います。

155 ── 世界で最も服従的で無思考な民族

国民はＴＰＰが締結された時に沈黙していました。ＦＴＡが締結された時も沈黙していました。そしてＲＣＥＰが締結された時も沈黙したままでした。つまりこの国の人々は主権が空洞化する次元に際し全く声を上げなかったのです。このようにどれほど屈辱的な状況でも自ら進んで服従的かつ無思考に振る舞おうとすることを「自己家畜化」と言います。

156——残酷と搾取が世界の実相

グローバリズムを理解するには、その背後にあるエートス《基本精神》を理解しなくてはなりません。私たちは普遍主義（白人も有色人種も同じ人間であるという思潮）で向き合いますが、彼らは権原理論（白人は有色人種を支配する権利を神から与えられているという原論）で動いているのです。このようにコロンブスの大航海時代から引き継がれる侵略思想を「最悪の偏見を正当化する論理」と言います。

157――国民の精神が死んでいるから支配は容易い

多国籍資本がラテンアメリカ諸国で市場原理主義を推進した際には、反対派を封じ込めるために拷問官が派遣されたり、リベラル《左翼的》な活動家やジャーナリストが弾圧されたり、都市の至るところに強制収容所が作られたりしました。しかしニホン国民は全く抵抗しないことからその必要がないのです。つまりとてつもなく民度が低いため拍子抜けするほど支配が容易なのです。このように支配に抗おうとする民族精神が死滅した状態を「悲劇的失策」と言います。

158——世界で最も衆愚政策が成功した国であること

これほど酷い状況であるにもかかわらず、主権を回復しようという機運が全く生じません。結局のところ日本人特有の無思考な振る舞いは、外部から戦略的に移植されたものなのです。つまり公共教育、スポーツ、バラエティ、お笑い、ワイドショー、SNSなどの諸々の衆愚コンテンツが植民地主義の道具として用いられており、それにより民度が低く保たれ、国民は何も考えない無抵抗な群れとして飼育されているのです。このように相手国民を劣った者として扱う支配の方針を「差異主義」と言います。

159——保守や右翼がニホンを売る

歴史の原則として、主権が蹂躙《じゅうりん》された際には民族主義運動が台頭します。ところが現代のニホンでは真逆に保守派がグローバリズム《外資による支配》を推進するという倒錯が生じています。つまり与党や、右翼団体や、オピニオン誌や、論壇の人々がおカネをもらい外国側に寝返っているのです。このようにステレオタイプな愛国主義者のイメージを纏《まと》い売国策を推進することを「戦略的本質主義」と言います。

160——「国家の伝統」というデッチ上げ

歴史家のホブズボウムは「伝統とされるものの大半が近代の作り物である」と述べています。例えば靖国神社は天皇に神位を授けることで国を纏《まと》めるため、つい150年ほど前に作られたものです。これ以外にもよくよく検証してみれば、「ニホン的なもの」の多くがデッチアゲなのです。このように政治的な動機によって昔から在るものであるかのように偽装される事物を「創造された伝統」と言います。

161——悪人の暴力より善人の無知が怖い

私たちの国は多国籍な投資家の支配《エクイティ・ガヴァナンス》によって滅びるのかもしれません。しかし真の脅威は外部の敵よりも自己家畜化した国民なのです。つまり自発的に思考を閉ざし、社会や人間の理想を捨て、服従的に振る舞う国民の性向が本当の脅威なのです。このような現実を直視し過酷な運命を理知で乗り越えようとする心性を「態度価値」と言います。

162——没落した国を賛美すればおカネが貰える

ニホンは90年代の後半から低開発の時代に突入しています。最低賃金はＥＵ平均の60％未満であり、一人当たりＧＤＰは20位以下に転落し、ＯＥＣＤ《経済協力開発機構》加盟国の中で経済が縮小し続ける唯一の国になっているのです。それにもかかわらず書店にはニホンが世界から尊敬される国だなどと主張する本で溢れ返っているのです。このような検証的な態度を拒絶し国を賛美する馬鹿げた行為を「ステイト・オラトリー」と言います。

163――派遣の問題を永久に解決できない理由

今や勤労者の40％以上が不安定で低賃金の非正規雇用に服しています。しかしこの問題の解決は殆ど不可能です。なぜなら２００６年の政治資金規正法の改正により、外資企業の献金が解禁されていることから、政治家は外国人投資家の配当を損ねる改革に着手できないのです。また企業も正社員を派遣に置き換え配当を増やさなければ、ムーディーズなどの格付会社によって株式の評価を下げられ、資金調達が困難になるのです。このように国や企業が国民のために機能しない矛盾に満ちた現代を「逆説の時代」と言います。

164　企業に監督される国家

私たちの社会は滅亡を約束されたも同然なのです。なぜなら、今や為政者はグローバルな投資家の配当を第一とし、格差や貧困に苦しむ人々への共感や、その救済の意思を全く持たないからです。このように政府が国民に奉仕するという使命を投げ捨て、企業とその株式を保有する投資家のためだけに尽くす体制を「コーポレート・キャピタリズム」と言います。

165——他人の不幸はやがて自分の不幸になる

「すべり台理論」によると、派遣や請負の人々が雇用の調整弁となることで正社員の生活は守られます。しかし失業者の増大によって消費不況が蔓延すれば、大企業の業績も悪化し、やがて正社員もリストラされ路頭に迷うのです。結局ギグエコノミーなどという人間の使い捨てをもてはやす軽薄な社会は破滅を逃れられないのです。このように他人事に見える現象がいつしか自分の身に降りかかることを「再帰性」と言います。

166——グローバリズムという危機の連鎖

自由貿易によって安い外国の産品が流入すると国内の生産者は駆逐されます。そうなれば、すでに先進国最低のニホンの食料自給率は更に下がります。しかし食料は有事の際に戦略物資となることから、これは深刻な国防問題にすら発展するのです。このようなグローバリズムがもたらす危機の連鎖を「システミック・リスク」と言います。

167―自由貿易とは失業の輸出である

自由貿易は「労働と移動の自由」を保障します。ゆえに今後はRCEPやTPPなどの加盟国から（所得水準の高いニホンに向けて）多くの移民が流入することは避けられません。つまりコロナ禍により失業率が戦後最悪を更新する中で、国民は外国人との仕事の争奪戦を強いられ、貧困の蔓延によって経済はさらに縮小するのです。

このように自由貿易がもたらす雇用情勢の悪化を「失業の輸出」と言います。

168――国民の所得を削り投資家の配当に付け替えた

財務省の統計によると、2001年の株式配当は4兆5000億円程度でしたが、2019年はその6倍以上に達しています。これが労働権を解体した果実であることは語るまでもありません。つまり非正規労働の強化によって浮かせたおカネが、企業の利益と減税の原資となり、最終的に投資家の配当に付け替えられたのです。そしてその受益者の大半は外国人なのです。このように一国を搾取する法律と金融の手練手管を「ステイト・クラフト」と言います。

169 ― 外国人が法案を買える国

「子ども食堂」は僅か3年の間に10倍以上も増え、今やその数は5000箇所を超えています。しかし貧困の解決が国政で議論されることは殆どありません。なぜなら2006年に外資企業による献金が合法化され、以来この国の政治家は彼らの要望を法案化して報酬を受け取ることに腐心し、国民を救済することに全く関心を払わなくなったからです。このように収賄された政治家が自己利益《レント》のためだけに働くことを「マフィア的原則」と言います。

170——人間としての生の終焉

WHO《世界保健機関》の基準に照らせば、ニホンでは1日当たり300人が自殺していると推計されます。そしてその多くが経済苦によるものと指摘されるのです。これはもはや無政府的な第三世界の様相だと言えるでしょう。つまり第一世界（平和な民主社会）としての日本は過去の幻影なのです。このような状況においてさえも積極的に思考せず時代の支配的なムードに従って生きようとする者を「一次元的人間」と言います。

171 ― 暴論の背景にあるものを考える

竹中某氏が「月額7万円のベーシックインカム《最低現金支給》と引き換えに年金と生活保護を廃止せよ」とぶち上げました。結局これは最低限の福祉《ソーシャルミニマム》と企業の年金負担をなくし、それによって浮いたおカネを企業減税の原資に付け替え、最終的に投資家の配当に転化することが狙いなのです。このように企業や投資家に雇われ利益を代弁する者を「イデオローグ」と言います。

172——ニホン国民ではなくアメリカの資本に忠誠を尽くす

日本の政界には米国の戦略国際問題研究所《CSIS》を出自とするエコノミッ《経済》ク・ヒットマン《工作員》たちが蠢《うごめ》いています。彼らはニホン国民ではなく米国資本に忠誠を尽くし、ニホンの法律や制度を米国資本のために改め、公共の資本や国民の財産を引き渡しているのです。このように相手国を支配するために人材を育成し戦略プランを練る諸機関を「アドボカシー・タンク」と言います。

173 ――なぜ弱者を虐待し外資を優遇するのか

障害者の医療費助成や福祉年金が大幅に削減されています。しかし政府はこうして弱者を虐待する一方で、外資企業を減税するという矛盾について何も語らないのです。これはつまり「グローバル化された体系では民主制が形骸化し、司法権力と執行権力が説明責任を負わないものへと変質する」という定理さながらの状況なのです。このように人権を踏みにじりながら世界に急拡大する権力の様式を「ハイパー・グローバリゼーション」と言います。

174 ―― 世界のゴミ捨て場化するニホン

欧米諸国で禁止された除草剤や毒物入りの柔軟剤が市販され、有効性のない抗がん剤や抗うつ剤が処方され、安全性が疑われる遺伝子編集・組み換え食品が認可され、関税権や食糧権が廃止され、派遣労働が強化され、農地や水源や漁場が叩き売られ、年金の積立が株式市場に注ぎ込まれ、国民の仕事を奪う移民法が強行されました。これらの一切はグローバル資本の要求だったのです。このように外国の指揮によって制度の全般が定められる体制を「司令塔経済」と言います。

175——短命社会が確実に到来する

自由貿易で流入する産品の放射線照射が指摘されています。放射線照射とは食品の熟度や発芽を抑制し、殺菌や殺虫するための措置とされますが、これは要するに「食品の被曝」であり、消費者は危険物の摂取を余儀なくされるのです。ただでさえ遺伝子編集・組み換え食品が認可され、残留農薬の基準が最大２０００倍に緩和されていることなどからすれば、ニホンは確実に短命社会になるでしょう。

このように国民の健康や安全を守ることが困難となった体系を「脆弱国家」と言います。

176――世界はニホンを「国」と認めていない

種苗法改正により種苗の登録品種の自家増殖が原則禁止となりました。これは「新品種の保護に関する国際条約」に則る措置だとされていますが実はそうではありません。本当の目的はニホンの農家が毎年グローバル企業から高額な種子を購入せざるを得ない法律の枠組みを作ることなのです。このように諸外国から独立国と認められず主権が機能しない体系を「パラ・ステイト」と言います。

177——安全も風景も伝統も消滅する

バイエル（モンサント）、コルテバ（ダウ・デュポン）、シンジェンタ《中国化工集団》の3社が種子のトップシェアを占めています。結局のところ、RCEPという中国を含む包括的な自由貿易体制は、こうした多国籍のアグリビジネスを推進するために締結されたのです。しかしこれによってニホンの伝統農業が破壊され、食料自給権や食の安全が損なわれるばかりか、里山の風景や、共同体や、文化も消滅することになるのです。このように世界的な支配に取り込まれ衰退地域となることを「インター・リージョナル化」と言います。

178——あらゆる価値がマネーに交換される

コロナの混乱に乗じて「生殖補助医療法案」が成立しました。これはあたかも不妊治療を発展させるための画期的な法案をイメージさせますが、実態は遺伝子操作でオーダーメイドの胎児を作る行為《ビジネス》を合法化するための法案なのです。このようにグローバル化された社会では生命倫理すら崩壊し、全てがマネーと引き換えにされるという見方を「交換原理」と言います。

179——人間の尊厳も生命の倫理もない世紀

すでにメルクやロシュなどの欧米企業が生殖補助医療に進出していますが、今後はジンシン社などの中国企業もこの分野でシェアを拡大することを表明しています。このような状況からすれば、RCEPの加盟に合わせ「生殖補助医療法案」が成立したのは決して偶然ではありません。つまり自由貿易の枠組みでデザイナー・ベイビー市場を創出する目的である、と仮説を立てることができるのです。

このような経済至上主義の中で人倫が喪失することを「デモラリゼーション」と言います。

180——政治家は資本の下僕である

「生殖補助医療法案」は僅か2時間半の審議で可決されました。しかも立憲民主党や国民民主党を始めとする野党もこれに賛成票を投じたのです。つまり生命倫理を覆す重大な法案が、与野党の協調体制によって成立したのです。このように国民の代表がグローバル資本に取り込まれ利益代行者として振る舞うとする見方を「捕虜理論」と言います。

181——自由貿易によって医療難民が生じるメカニズム

自由貿易は医療に関わる特許や知的財産権を包摂します。つまり今後は薬品だけでなく、診断や、治療や、手術にもライセンス料が課せられるのです。そうなると国民の負担は途方もない額に跳ね上がり、貧困層は高度な医療を受けることができなくなるのです。このように社会保障の枠組みから弱者を排除する政策を「放逐《ほうちく》」と言います。

182——外資がニホンの薬価を1000倍に引き上げた

80年代頃の抗がん剤一月分の価格は数千円でした。しかし、その後外圧によって数万円となり、00年以降は数十万円まで引き上げられ、最近認可されたリンパ球に作用するタイプは、実に数百万円に設定されているのです。つまり外資の要請によって薬品の価格が1000倍に引き上げられたのです。このように主権を失い外国の支配圏に領域化されることを「テリトリアライゼーション」と言います。

183——一番大事なものが食い物にされる

在日米国商工会議所は国家戦略特区の枠組みで企業による病院経営を認可させました。また米国商務省は、日本の薬価の統制政策を廃止させた際の予想価格グラフを公開しています。やはり今後は日米ＦＴＡの加盟を機に、ニホンの医療費は超高額《プレミアム》化すると考えるべきでしょう。このように大国が自国企業のために相手国の法律や制度を変更することを「絶対的規定」と言います。

184――アメリカによる恐怖の制度の移植

米国はニホンの医療費42兆円を100兆円規模にまで引き上げると豪語しています。つまり彼らはニホンの公的医療を解体し、アメリカ型の営利医療を導入する目論見なのです。そうなれば盲腸などの簡単な手術でも数百万円を要する事態となるのです。このように相手国の制度を自国と同じにすることによって支配することを「同質化帝国主義」と言います。

185―グローバル資本は国家を解体する

コロナウイルスの感染爆発が報じられる中で、総理大臣は国民皆保険制度の解体を示唆しました。それはあくまで医療費の増大を受け制度の見直しを図るという建前ですが、実際は、いよいよTPPを始めとする自由貿易の体制において、国保が参入障壁と見なされたことによるのです。つまり薬価制度や高額療養費制度などと合わせ、国保を段階的に廃止することが外国人投資家から求められているのです。このように一国の政府がグローバル資本の統制下に置かれることを「領域の罠」と言います。

186——年金は株式市場を通じて消えた

コロナ恐慌で企業の業績が悪化する中、30年ぶりに株価が高騰しました。しかしこれは実体経済の反映ではなく、年金積立などを投入して釣り上げた偽装相場だったのです。そうやって国民の老後資金は証券市場で一旦洗浄された後、株式の売却益や配当に化けているのです。だから年金の支給年齢がどんどん引き上げられているのです。このように特権者が莫大な利益を上げる一方で国民の資産が目減りすることを「ブーム・アンド・バスト」と言います。

187――誰も金融緩和の意味を分かっていない

異常な株高の背景には巨大な金融緩和（中央銀行が市中銀行の保有する国債を買取り現金と交換し、企業が借り入れをしやすくすること）と、財政出動（国債の増刷によって調達した現金を公共事業などに投入すること）があります。しかしコロナ恐慌を克服するために注入されたこれらのおカネは国民部門に流れず、低金利の投資マネーとして用いられ、最終的に富裕層の資産に転化されているのです。このように国民のための金融政策を装いながら特権者の利益だけを図る体制を「疑似民主政資本独裁」と言います。

188──君が生まれながらの奴隷であること

よく考えなくてはならないことは、金融緩和や財政出動に用いられるおカネは国債を原資とすることです。すなわち徴税権を担保に調達されたおカネが株価を押し上げ、投資家が莫大な利益を得る一方、国民は過剰発行された国債の償還のためホモ・デット《借金人間》化する不条理なのです。このように社会や人間の有様は知識によって見え方が全く異なることを「認知的複雑性」と言います。

189――歴史に類例のない搾取が行われようとしている

現在のペースで金融緩和や財政出動が続いた場合、給与の50％以上を国債の元本と利息の支払いのために没収されることになります。つまり国民は北欧諸国のように充実した福祉や医療のためではなく、特権的富裕層《プルトクラート》のために賃金の半分以上を捧げる図式であり、気付いてみれば先進世界では稀に見る奴隷的な搾取が行われようとしているのです。このように国債の償還や財政赤字の埋め合わせのために求められる将来の所得割合を「潜在的国民負担率」と言います。

190――ネットの寸言を真理として語っていないか

ドナルド・トランプがディープ・ステイト《合衆国の中に巣くう悪の帝国》と戦う英雄だという奇説がSNSで広がっていました。しかし実際のトランプは米国史上最大の軍事予算を編成するため、300万人分のフードスタンプ《食糧配給券》の予算をカットしたミリタリスト《軍事主義者》であり、ハウジング・バウチャー《住宅補助》やメディケイド《低所得者向け医療保険》を貧困層から奪った人物だったのです。このような事実を無視し、自分の信念や願望に沿った情報だけに触れ、それに適合しない知識を拒絶することを「選択的接触」と言います。

191――選挙に投資した企業が政治を支配する

米国でバイデン政権が発足しました。そしてこの政権は歴代の政権と同じく、国務長官には兵器メーカーのロビイスト《政界工作者》、財務長官にはユダヤ系投資銀行の出自者を抜擢しています。そもそもアメリカの政治体制は、大統領選に資金を拠出した企業が代行者を閣僚ポストに据える猟官制であり、軍事と金融のコラボ《共同》が仕切る状況に何ら変わりはないのです。このように少数の有力者が権力を握り世界を支配していると見る立場を「パワー・エリート論」と言います。

192——世界の本質は奴隷制である

よくよく考えなくてはならないことは、アメリカの歴代の政権が累積させた3000兆円規模の国債が、私企業であるＦＲＢ《連邦準備制度理事会》が発行するドル紙幣との交換だということです。そうやって寡頭金融が限りなくゼロコストで天文学的利潤を手にする一方、国民は納税による国債の償還の義務を課され弁済奴隷化する構図であり、これがまさに資本主義世界の最大の欺瞞《トリック》なのです。このように金融を通じて浮かび上がる世界の本質的な情景を「ファイナンススケープ」と言います。

193 金融の道具としての国家

世界で最も有力なシンクタンク《政策機関》は上位500社のグローバル企業によって運営されています。そうやってこれらの組織は米国、フランス、ドイツ、スイスなどを拠点とする銀行家や投資家の利益を最大化するため、議会に代わり政策方針を決めるのです。このシェーマ《概念図》において政府は民意を反映し法律や制度を定める機能を殆ど持ちません。このように国家は金融の手段に過ぎないという見方を「道具主義」と言います。

194――政府は象徴であり資本の下請けに過ぎない

各国の政策は国民の代表議会ではなく民間の政策機関《シンクタンク》によって策定されます。それらの主なものとして、国際商業会議所、ビルダーバーグ会議、三極委員会、世界経済フォーラム、外交問題評議会、国際諮問委員会、持続可能な開発のための世界経済人会議、国連グローバル・コンパクト、欧州産業人円卓会議、日・ＥＵビジネス・ラウンドテーブル、大西洋横断ビジネス対話、北米競争力会議などの団体があります。このように政府を超越する意思決定の仕組みを「メタ・ガヴァナンス」と言います。

195――グローバル化の終章としての監視社会

ニホンのグローバル化計画は四半世紀に及びます。すでに規制緩和、公共施設の民営化、非正規労働の強化、移民の解禁、消費税率の引き上げ、社会保障の解体、関税の廃止などのメニューがほぼ達成されており、残すところは言論の統制と監視の合法化だけなのです。

このように一国を全展望型の刑務所に見立てて支配する構想を「パノプティコン・モデル」と言います。

196——世界はファシズムで結ばれる

中国の国民監視システムＥＣＵ－911は、中国の国防科技大学と米国のマイクロソフト社によって共同開発されました。つまり米国は中国の香港弾圧を非難しながら、その一方で高度な情報技術を中国に提供していたのです。そしてニホンも国民監視システムを構築するため中国と技術提携を結んでいるのです。このように対立関係にある国々がその裏では支配のために一致協力する体制を「トランスナショナル・コンソーシアム」と言います。

197――人権もプライバシーもない未来

中国の監視システムＥＣＵ－911は支配地域のウイグルや、チベットや、香港などでも導入されています。そればかりかドイツやアラブ首長国連邦を始め54カ国に輸出されているのです。つまりＥＣＵ－911は監視装置のディファクトスタンダード《事実上の標準規格》化しており、21世紀の世界市民は中国方式で管理されると言っても過言ではないのです。このようなデジタル監視によって国民の行動を予測し反抗を未然に防ぐ諸力を「手段主義的権力」と言います。

198　収容所的な監視国家の登場

気付いてみればマイナンバーが導入され、デジタル庁が創設されています。しかし、かつてナチス党がＩＢＭ社のパンチカード機を導入し、国民の個人情報を一元管理していた史実からすれば、「人間を番号で管理する思想」は余りにも危険であり、収容所的な監視国家の登場を予感させるのです。このように情報技術をプラットフォームとする独裁体制を「デジタル・ファシズム」と言います。

199——誰も監視の網から逃れられない

すでに75を超える国々で国民監視体制が確立されています。そして日本でもスーパーシティ法が成立し、デジタル庁が創設され、電子通貨が既定路線となり、口座や、位置情報や、通信履歴や、カルテなど諸々の個人情報をマイナンバーに紐付けすることが検討されているのです。このようにメタデータ《総合情報》によって国民を監視し統治する体系を「アッサンブラージュ」と言います

200 「日本人は豚になる」という予言

私たちの社会は戦後最大の危機を迎えています。しかし未だ国民は現実や未来について思惟することもなく、三島由紀夫が「日本人は豚になる」と予言した通り、目の前の娯楽に溺れ知的怠惰を貫き通しているのです。つまり人々は自ら覚醒《アラウザル》を拒んでいるのです。このように公共教育や、諸々の衆愚政策や、低劣な文化などによって人間の意識が同質的に培養されることを「レゾナンス」と言います。

201——搾取と昏蒙《こんもう》の果てに

古代ローマ帝国は民主制が不全となり、中間層が没落し格差が拡大した挙げ句、衆愚政治《モボクラシー》の席巻によって滅亡しました。現在のニホンはこれに極めて酷似しており、やがて専制と搾取と昏蒙《こんもう》（愚かであること）の果てに消失の時代を迎えるのかもしれません。このように悪要因が連なり全体化して巨大な崩壊をもたらすことを「有機的危機」と言います。

参考文献

281_Anti nuke

『私たちはどこにいるのか？』ジョルジョ・アガンベン　青土社
『ホモ・サケル 主権権力と剥き出しの生』ジョルジョ・アガンベン　以文社
『例外状態』ジョルジョ・アガンベン　未来社
『哲学とはなにか』ジョルジョ・アガンベン　みすず書房
『カール・シュミット　ナチスと例外状況の政治学』蔭山宏　中央公論新社
『危機の政治学　カール・シュミット入門』牧野雅彦　講談社
『政治的なものの概念』カール・シュミット　未来社
『植民地支配と環境破壊―覇権主義は超えられるのか―』古川久雄　弘文堂
『国家緊急権』橋爪大三郎　NHK出版
『プロパガンダ株式会社』ナンシー・スノー　明石書店
『25％の人が政治を私物化する国』植草一秀　詩想社
『国家はいつも嘘をつく　日本国民を欺く9のペテン』植草一秀　祥伝社
『日本はなぜ「基地」と「原発」を止められないのか』矢部宏治　集英社インターナショナル
『インテリジェンス人間論』佐藤優　新潮社
『人間復権の論理』羽仁五郎　三一書房

『君の心が戦争を起こす―反戦と平和の論理』羽仁五郎　光文社
『自伝的戦後史』羽仁五郎　講談社
『読書脳』立花隆　文藝春秋
『裏切りの世界史』清水馨八郎　祥伝社
『侵略の世界史』清水馨八郎　祥伝社
『資本主義崩壊の首謀者たち』広瀬隆　集英社
『東京が壊滅する日　フクシマと日本の運命』広瀬隆　ダイヤモンド社
『1984年』ジョージ・オーウェル　早川書房
『カタロニア讃歌』ジョージ・オーウェル　現代思潮新社
『ならず者の経済学』ロレッタ・ナポレオーニ　徳間書店
『ネット・バカ　インターネットがわたしたちの脳にしていること』ニコラス・G・カー
篠儀直子（翻訳）　青土社
『スノーデンファイル　地球上で最も追われている男の真実』ルーク・ハーディング　日経BP社
『政治学の基礎』加藤秀治郎　一芸社
『脳と心の洗い方　なりたい自分になれるプライミングの技術』苫米地英人　フォレスト

出版
『雇用破壊 三本の毒矢は放たれた』森永卓郎　角川書店
『地下経済 この国を動かしている本当のカネの流れ』宮崎学　青春出版社
『放射能が降る都市で叛逆もせず眠り続けるのか―抵抗の哲学と覚醒のアート×１００』響堂雪乃／281_Anti Nuke　白馬社
『北朝鮮のミサイルはなぜ日本に落ちないのか―国民は両建構造に騙されている』秋嶋亮　白馬社
『移民の経済学』ベンジャミン・パウエル　東洋経済新報社
『移民の政治経済学』ジョージ・ボージャス　白水社
『不寛容な時代のポピュリズム』森達也　青土社
『メディアに操作される憲法改正国民投票』本間龍　岩波書店
『除染と国家　21世紀最悪の公共事業』日野行介　集英社
『サピエンス全史（上下）文明の構造と人類の幸福』ユヴァル・ノア・ハラリ　河出書房新社
『ギデンスと社会理論』今枝法之　日本経済評論社
『現代政治学』堀江湛（編）、岡沢憲芙（編）　法学書院

『ＴＰＰすぐそこに迫る亡国の罠』郭洋春　三交社
『透きとおった悪』ジャン・ボードリヤール　紀伊國屋書店
『北朝鮮が核を発射する日　ＫＥＤＯ政策部長による真相レポート』イ・ヨンジュン　ＰＨＰ研究所
『プロパガンダ教本』エドワード・バーネイズ　成甲書房
『アメリカはなぜヒトラーを必要としたのか』菅原出　草思社
『泰平ヨンの未来学会議』スタニスワフ・レム　早川書房
『アメリカの国家犯罪全書』ウィリアム・ブルム　作品社
『知の考古学』ミシェル・フーコー　河出書房新社
『言説の領界』ミシェル・フーコー　河出書房新社
『エクリチュールと差異』ジャック・デリダ　法政大学出版局
『現象学』ジャン・フランソワ・リオタール　白水社
『ヨーロッパ諸学の危機と超越論的現象学』エドムント・フッサール　中央公論社
『デカルト的省察』エドムント・フッサール　岩波書店
『間主観性の現象学』エドムント・フッサール　筑摩書房
『デリダ脱構築と正義』高橋哲哉　講談社

『イデオロギーの崇高な対象』スラヴォイ・ジジェク　河出書房新社
『社会学の方法』新睦人　有斐閣
『マクドナルド化の世界』ジョージ・リッツア　早稲田大学出版部
『神話・狂気・哄笑——ドイツ観念論における主体性』マルクス・ガブリエル、スラヴォイ・ジジェク　堀之内出版
『ハンナ・アーレント　公共性と共通感覚』久保紀生　北樹出版
『法の原理　人間の本性と政治体』トマス・ホッブズ　岩波文庫
『正義の境界』オノラ・オニール　みすず書房
『方法序説』ルネ・デカルト　岩波文庫
『討議と承認の社会理論—ハーバーマスとホネット』日暮雅夫　勁草書房
『フランス現代哲学の最前線』クリスチャン・デカン　講談社
『論理哲学論』ルートヴィヒ・ヨーゼフ・ヨーハン・ヴィトゲンシュタイン　中公クラシックス
『現代思想を読む事典』今村仁司・編　講談社
『大衆の反逆』ホセ・オルテガ・イ・ガセット　白水社
『暗い時代の人間性について』ハンナ・アーレント　情況出版

『活動的生』ハンナ・アーレント　みすず書房
『権力と抵抗─フーコー・ドゥルーズ・デリダ・アルチュセール』佐藤嘉幸　人文書院
『実存主義とは何か』J・P・サルトル　人文書院
『ジャック・ラカン転移（上）（下）』ジャック＝アラン・ミレール（編）　岩波書店
『消費社会の神話と構造』ジャン・ボードリヤール　紀伊國屋書店
『フーコーの系譜学　フランス哲学〈覇権〉の変遷』桑田禮彰　講談社
『意味の歴史社会学─ルーマンの近代ゼマンティク論』高橋徹　世界思想社
『権力と支配の社会学』井上俊　岩波書店
『グローバリゼーションと人間の安全保障』アマルティア・セン　日本経団連出版
『ナショナリズムとグローバリズム』大澤真幸、塩原良和、橋本努、和田伸一郎　新曜社
『ポストモダンの共産主義』スラヴォイ・ジジェク　筑摩書房
『金融が乗っ取る世界経済─21世紀の憂鬱』ロナルド・ドーア　中央公論新社
『全体主義─観念の（誤）使用について』スラヴォイ・ジジェク　青土社
『秘密と嘘と民主主義』ノーム・チョムスキー　成甲書房
『すばらしきアメリカ帝国』ノーム・チョムスキー　集英社
『経済学は人びとを幸福にできるか』宇沢弘文　東洋経済新報社

『ニグロ、ダンス、抵抗』ガブリエル・アンチオープ　人文書院
『新聞の時代錯誤』大塚将司　東洋経済新報社
『哲学者は何を考えているのか』ジュリアン・バジーニ＋ジェレミー・スタンルーム　春秋社
『悪夢のサイクル』内橋克人　文藝春秋
『なぜ疑似科学を信じるのか』菊池聡　化学同人
『新自由主義の破局と決着』二宮厚美　新日本出版社
『新聞は戦争を美化せよ！―戦時国家情報機構史』山中恒　小学館
『ポスト新自由主義―民主主義の地平を広げる』山口二郎、片山善博、高橋伸彰、上野千鶴子、金子勝、柄谷行人　七つ森書館
『シミュラークルとシミュレーション』ジャン・ボードリヤール　法政大学出版局
『始まっている未来』宇沢弘文、内橋克人　岩波書店
『ショック・ドクトリン　惨事便乗型資本主義の正体を暴く　上・下』ナオミ・クライン　岩波書店
『テロルと戦争』スラヴォイ・ジジェク　青土社
『自由からの逃走』エーリッヒ・フロム　東京創元社

『正気の社会』エーリッヒ・フロム　社会思想社
『市場主義の終焉―日本経済をどうするのか』佐和隆光　岩波新書
『暴力とグローバリゼーション』ジャン・ボードリヤール　ＮＴＴ出版
『環境学と平和学』戸田清　新泉社
『世界の知性が語る21世紀』Ｓ・グリフィスス　岩波書店
『世界を不幸にしたグローバリズムの正体』ジョセフ・スティグリッツ　徳間書店
『これは誰の危機か、未来は誰のものか―なぜ１％にも満たない富裕層が世界を支配するのか』スーザン・ジョージ　岩波書店

校正：熊谷喜美子

◎著者紹介

秋嶋亮（あきしまりょう）響堂雪乃より改名。

社会学作家。ブログ・マガジン「独りファシズム Ver.0.3」http://alisonn.blog106.fc2.com/ を主宰し、グローバリゼーションをテーマに精力的な情報発信を続けている。主著として『独りファシズム―つまり生命は資本に翻弄され続けるのか？―』（ヒカルランド）、『略奪者のロジック―支配を構造化する210の言葉たち―』（三五館）、『終末社会学用語辞典』（共著、白馬社）、『植民地化する日本、帝国化する世界』（共著、ヒカルランド）、『ニホンという滅び行く国に生まれた若い君たちへ―15歳から始める生き残るための社会学』（白馬社）、『放射能が降る都市で叛逆もせず眠り続けるのか』（共著、白馬社）、『北朝鮮のミサイルはなぜ日本に落ちないのか―国民は両建構造（ヤラセ）に騙されている―』（白馬社）『続・ニホンという滅び行く国に生まれた若い君たちへ―16歳から始める思考者になるための社会学』（白馬社）、『略奪者のロジック 超集編―ディストピア化する日本を究明する201の言葉たち―』（白馬社）などがある。

ニホンという滅び行く国に生まれた若い君たちへ OUTBREAK アウトブレイク

―17歳から始める反抗するための社会学―

2021年 7 月25日　第一刷発行

2021年 9 月10日　第二刷発行

著　者　秋嶋　亮

発行者　西村孝文

発行所　株式会社白 馬 社

〒612－8469　京都市伏見区中島河原田町28－106

電話075(611)7855　FAX075(603)6752

HP http://www.hakubasha.co.jp

E-mail info@hakubasha.co.jp

印刷所　モリモト印刷株式会社

ISBN978-4-907872-33-5